P9-BIC-522

人生顧問 36

The Heart of Parenting

怎樣教養高EQ小孩

How to Raise an Emotionally Intelligent Child

約翰・高特曼博士

John Gottman, Ph.D.

瓊安・德克特兒◎合著

Joan DeClaire

劉壽懷◎譯

人生顧問

開一扇窗，看山看水
讀一本書，體驗豐美
「人生顧問」系列：
是您的智囊團，它陪
伴您一起向前走。

推薦的話

——序一《EQ》作者 丹尼爾・高曼博士

我們正處於小孩不好過，父母更難爲的一個時代。兒童經驗在這一二十年來已變得面目全非，小孩要學習心靈基本技能變難了。父母要培養子女基本的情緒及社交技能也必須付出更多，花更多腦筋。約翰‧高特曼在這本實用指南中，就是要教父母該如何著手。

這是刻不容緩的事。看看統計數字吧。幾十年間，青少年殺人率增加了三倍，自殺率則增加了兩倍，強姦增加一倍。在觸目驚心的統計數字之下，隱藏著一股人心惶惶的普遍不適感。美國曾做過兩次全國性隨機取樣的調查，先是在七〇年代中期，然後是在八〇年代晚期，由家長和老師替兩千多名學童打分數，發現了一股長期趨勢：小孩的情緒及社交基本技能正在退步。一般說來，小孩變得更神經質，更會生氣，更會鬧彆扭，更情緒化，更消沈，更孤僻，更容易衝動，更不聽話。四十多種指標都在下降。

惡化現象後面，潛伏著更大的力量。其中之一，如今的經濟現實逼得父母必須比前代更賣力工作，才能維持一個家。也就是說，大部份的父母陪伴小孩的時間，比不過當年自己的父母。越來越多的家庭，住所離自己的親戚相當遙遠。常常，家長根本就不敢放小孩到街上去玩，造訪鄰居就更甭提了。小孩花越來越多的時間盯著電視或者電腦的螢光幕，而不是在戶外和別的小孩玩在一起。

可是，長久以往，小孩學習基本情緒及社交技能的方式，一直就是靠父母和親戚的教導，不然就是和別的小孩打打鬧鬧，在遊戲中學習。

學不到基本的情緒智能，後果正越來越嚴重。例如，跡象顯示，無法辨別焦慮和飢餓的女孩比較容易患飲食失調症，年幼時拙於控制衝動的女生到了十七、八歲也比較有可能懷孕。早年情緒衝動的男生將來則較可能要太保，有暴力傾向。應付不來焦慮及抑鬱感受的小孩長大後則較可能嗑藥、酗酒。

認清這些新近的現實條件，父母必須盡可能地善加利用和小孩相處的大好時機，積極扮演情緒教練的角色，教導小孩理解並處理困擾的感受，控制衝動，培養同理心。在《怎麼教養高EQ小孩》一書中，約翰·高特曼就提供了一套具備科學依據的實用方法，教父母如何賦予子女最基本的生活技能。**（顏秀娟譯）**

高EQ小孩有秘訣

——序二　本書作者　約翰・高特曼博士

在我尚未爲人父之前，我利用了將近二十年的時間，在發育期心理學的領域內，埋頭鑽研兒童的情緒活動。但是，一直要到一九九〇年，當我們的女兒莫莉亞誕生後，我才開始眞正瞭解親子關係中的實際情況。

像我們許多人一樣，我沒有料想到我對自己小孩有如此強烈的感情。在她剛學會微笑、說話、看書的時候，我完全沒有概念自己會有多麼的興奮。我沒有預料她需要我分分秒秒的耐心與注意。我當然也不會知道自己會這般心甘情願地爲她獻出她所需要全部的照料。相對地，偶爾在感到十分頹喪、失望、脆弱的時刻，也讓自己覺得很驚訝。在她與我之間無法溝通時感到頹喪；在她行爲不端時感到失望；在必須承認這世界的危險時感到脆弱無助；因爲失去她也就等於失去了所有。

在我開始學習去認識自己的情感的同時，我在自己的專業領域內也獲得相關的發展。身爲一個雙親由於大屠殺而逃離奧地利的猶太人，對於其他那些反對以威權主義作爲養育道德健全小孩的方法的理論家，我亦曾經尊重他們的成就。他們建議以民主制度在家庭裡運作，而小孩及父母則都爲平等、有理性的伙伴。可是我歷年來在家庭動力學的研究調查，發現有新跡象顯示親子間的情感互動，對於小孩子將來的幸福有著更重要的影響。

讓人覺得驚訝的是，今天大部份對父母親所作的一般忠告，都忽視了情感的世界。反而是用撫養小孩的理論來解釋孩童不端的行爲，至於構成這些偏差的情感卻置之不理。但無論如何，撫養小孩的最終目的不應該只是要擁有一個順從聽話的小孩。大部份的父母都是望子成龍的。他們要自己的小孩將來品性端正，富有責任感，對社會付出貢獻，有能力在生命的旅途上作出自己的抉擇，可以將自己的才華淋漓盡致的發揮，懂得享受生命及其所帶來的愉悅，有良好的人際關係及成功的婚姻，並且也成爲好的父母親。

在我的研究中，我發現單單只有愛是不足夠的。照料得無微不至、熱情、專注的父母，他們對自己及其小孩情緒的態度，常常阻擾了他們在小孩難過或害怕或生氣時無法彼此交談。單單只有愛是不足夠的，但將這些關懷化爲一些基本技巧讓父母加以實行，有如他們對小孩在情緒方面的輔導，就足夠了。秘訣在於當情緒激動時，父母如何跟孩子彼此互動。

我們曾經對父母及孩子們做過極詳細的實驗室調查，並且繼續追錄孩子的成長過程。在經過十年的實驗室研究工作，我的研究小組遇到過一組父母，他們在孩子鬧情緒時，只是做了五樣十分簡單的事。我們稱之爲「情緒輔導」。我們發現父母會加以情緒輔導的孩子與其他父母的孩子有截然不同的成長軌道。

父母會加以情緒輔導的孩子，往後成爲丹尼爾・高曼所謂的「情緒智力」"emotionally intelligent"的人。這些受過情緒輔導的孩子比未曾接受過情緒輔導的孩子，在料理自己的情緒方面，一般的能力都較強。這些能力包括可以調適本身的情緒狀況。當這些孩子心煩意亂時，比較會慰藉自己，可使加速的心跳較快地鎮靜下來。由於他們這部份生理機能在平靜情緒上優秀的表現，因此較少患傳染病。他們比較容易集中注意力。與其他人相處也較融洽，就算是在童年中期，一些棘手的社交場合也能善於應對，譬如被揶揄，在這種情況下過度情緒化只是一項缺點，毫無益處。他們較善於瞭解別人，並能與其他孩子有較深切的友誼。至於校內學術方面，他們也有較優秀的表現。

簡而言之，他們能發展出一種對於人以及感情世界的「IQ」，或稱之爲「EQ」。此書將會教你情緒輔導的五個步驟，如此，你就能夠養育出一個情緒智力高的小孩。我對於父母與子女感情結合之重視，是來自我長期的研究。據我所知，這是第一個研究來證實我們其中一位傑出的小兒臨床醫師，心理學家漢・金諾博士，他在五十年代及六十年代的寫作及演講的成果。金諾瞭解當小孩情緒激動時，與他們交談的重要性，同時他也瞭解父母該如何實行的基本原則。

情緒輔導乃以情感的交流作爲基本的結構。當父母以同理心來看待自己的小孩，並幫助他們處理負面的情緒，譬如忿怒、悲哀及恐懼，如此，父母就能建立起忠誠及情愛的橋樑。在此前題下，雖然實施情緒輔導的父母，事實上是有一些規定，不過品行不端已不再是最讓人頭痛的問題。聽從、孝順及責任感是來自小孩子從他們的家庭中感受到的那份愛心及親合力。因此，家庭成員中感情的互動就成了價值的灌輸及培育品行端正的人的基本原則。家庭中的規範會影響孩子的行爲表現，因爲打內心底他們明瞭自己是被期待有好的行爲；而正直的生活即是代表著屬於這族群的一份子。

與其他嘗試去控制兒童的行爲表現，卻只是提供一些零散混雜的策略的撫養理論不同的是，隨著孩子們的成長，情緒輔導的五個步驟一直作爲與他們維繫著親密的個人關係的架構。

此書的好消息就是，我和同事們透過科學的研究，獲得證據顯示父母與子女的情感互動是極爲重要的。我們現在確定知道父親們和母親們有否實施情緒輔導，對他們孩子的成就與幸福，會造成差別。

對於處理兒童情緒的研究，我們採用的表達方式是讓今天的父母都可以理解的，這是金諾在六十年代末提及的。隨著與日俱增的離婚率以及其他譬如少年暴力問題的嚴重，比較往昔，要養育出有情緒智力的小孩更是當務之急。我們的研究很明顯地發現在那些已證實與婚姻衝突和離婚有關的危機中，父母是如何地可以避免他們的孩子受創。同時也以新的方法證明一個在情緒上能夠跟孩子溝通的父親，不論是已婚或離婚，如何影響他小孩們的幸福。

父母養育小孩成功的關鍵不在於複雜的理論、繁瑣的家規或是扭曲的行爲公式。它的基礎是來自你對你小孩最深厚的愛與情，而只要簡單地透過同理心與瞭解就能表示出。眞正的培育是從你內心做起，然後當你的孩子們情緒激動時、悲傷、發怒或驚恐時，再根據各個不同的時刻與情況，持續地與他們溝通。《怎樣教養高EQ小孩》的價值在於它有這麼特殊的方法。此書將引你上道。

備註：在寫此書時，要用類似「他或她」或者「他／她」的名稱，都是棘手的。傳統上，作者們爲了要避免這不便之處，就都全部採用男性代名詞。我們相信如此沿用只會助長了性別的偏見。因此，貫穿全書，我們選擇了交替使用男性及女性代名詞。希望我們這本書對有女兒的父母們以及對有兒子的父母們，都是相等地有用。

目錄

1 情緒輔導：養育高EQ小孩的重點

戴安在試著哄三歲的約書亞穿上他的夾克好帶他去日間托兒所的時候，她就已來不及上班了。在很匆忙地吃過早點以及在決定要穿哪雙鞋子的一番鬥爭後，約書亞也變得緊張了。他並不在乎他老媽在不到一小時內就要開會。他告訴她想留在家中玩耍。當戴安對他說這是不可能的，約書亞跌倒在地上並開始號啕大哭。

在褓母抵達前的五分鐘，七歲的愛美麗滿臉淚珠地向她的父母求援。她嗚咽地說：「把我丟下給一個完全不認識的人是不公平的。」「但是愛美麗，」她老爹解釋說：「這個褓母是妳媽咪的好朋友。而且，我們在好幾個禮拜前就已經買了這場音樂會的門票。」「我還是不要你們去。」她大聲地喊叫著。

十四歲的麥告訴他老媽他被逐出學校的樂隊，原因是老師聞到公車上有人在吸大麻。麥說：「我發誓那人絕對不是我。」但是這孩子的成績一直在退步，而最近他又跟一幫新的人混在一起。於是她說：「麥，我才不信你。直到你成績有進步，你才能出外玩。」受到創傷又忿怒的麥，一言不發就奪門而出。

三個家庭。三種衝突。三名不同成長階段的小孩。但是三位父母都面臨同樣的問題——當情緒激烈之際，該如何處理小孩。大部份的家長都一樣，他們希望具有耐心、尊重、公平地對待自己的孩子。他們知道這世界帶給孩子們許多的挑戰，因此他們想要在一旁支持並為孩子們提供判斷。他們想教導他們的小孩有效地處理問題，並建立深厚、健全的人際關係。但在想要你的小孩處事端正和實際上採取何種手段來實施是有極大的差距。

這是因為好的養育並不單單只是智力的訓練，它還包括了過去三十年來，給父母的忠告中，一直被忽略的人格面。好的養育是牽涉到情感的。

大約過去的十年裡，在科學上，對於情感在我們的生活中所扮演的角色，已經有許多驚人的發現。研究員發現你對情緒的認知和處理情感的能力，比IQ更能決定你在生命中各層次，包括家庭關係的成功與幸福。對父母而言，這「情緒智力」——即許多人現在對它的稱呼——的特性，是指察覺你小孩的情緒，同時能夠設身處地去安慰並引導他們。至於孩子方面，他們的情緒大部份是從父母處學習到的，包括控制衝動的能力、延遲滿足、給自己推動力、覺察他人的社交暗示，以及處理生命中的起伏。

心理學家丹尼爾・高曼(Dan Goleman)說：「家庭生活是我們學習情緒的第一所學校。」他同時也是《情緒智力》一書的作者，在書中詳細描述那些讓我們對這領域不斷擴充瞭解的科學研究。「在這親密的大鍋內，我們學習如何認識自己的情緒以及別人對自己情緒的反應；

如何分析這些情緒以及我們可以有那些反應的選擇；如何辨識和表達期望與恐懼。這些情緒教育並不只是透過父母對兒女的言行，還要以身作則，以他們處理自己的情緒和夫妻間感情作爲模範。一些父母是天生的情緒指導老師，而其他一些則是惡劣的。」

父母甚麼樣的態度會造成差別呢？身爲一個研究親子互動的學術心理學家，在過去的二十年，我用了大部份的時間爲此尋找答案。在與伊利諾州大學和華盛頓州大學的研究組併肩工作下，我很深入地指導了兩項研究，以一百一十九個家庭爲對象，從中觀察在情緒高漲的局面裡，父母與孩子彼此之間的反應。

我們從四歲的孩子一直追蹤至青春期。另外，我們現階段正在追蹤一百三十對新婚夫婦，等待他們成爲小嬰兒的父母。我們的研究包括與父母長時間的面談，談論有關他們的婚姻、他們對自己小孩情緒反應的經驗，和他們對於生活中情緒所擔任的角色的認知。

我們追蹤小孩在緊張的親子互動關係中生理的反應。我們謹慎地觀察並分析父母對孩子哀與怒的情緒反應。然後，我們與這些家庭每隔一段時日後聯繫，察看他們的孩子在健康上、學業成績上、情緒發展上和社交關係上的成長是如何。

我們的結果顯示一個簡單卻有力的眞相。我們發現大部份的家長屬於兩大類：一種是會教導孩子有關情緒的世界，另一種則不會。

我稱呼那些關心孩子的感情的父母爲「情緒教練」。他們幾乎就像運動教練一樣，教導孩子處理生命中的起伏。他們不會反對也不會忽視孩子悲哀、忿怒或恐懼的表現。反之，他們將負面的情緒當作人生的事實而接受，同時他們利用這些情緒性的時刻作爲灌輸孩子生活意義重要的一課及與其建立更密切關係的機會。

「當珍妮花難過的時候，那就是眞正將我倆結合的一個關鍵時刻。」瑪莉亞說：「我告訴她我想跟她談談，想瞭解她的感受。」她是我們研究五歲孩童組的其中一位母親。

如同許多在我們研究裡能夠輔導孩子情緒的父母一樣，珍妮芙的爸爸丹，他理解女兒哀與怒的時刻正是她最需要他的時候。安慰她比其他互動，更「讓我覺得自己像個爸爸」丹說：「我必須在場幫助她……我必須告訴她一切都沒事。告訴她，她會克服這個問題而且這類問題往後或許會更多。」

能夠輔導孩子情緒的父母如瑪莉亞和丹可被形容爲對女兒是「親切的」和「正面的」，他們也確實如此。但是單單親切和正面的養育並不會教導出情緒智力。事實上，父母體貼和關愛是很平常的，但他們卻無法有效地處理孩子負面的情緒。在這些教導孩子情緒智力而失敗的父母中，我發現了三種類型：

(1)忽視型父母，對小孩負面的情緒輕視、不理睬，覺得無關重要。

(2)反對型父母，對小孩表現的負面情緒不滿而可能因此遣責或處罰他們。

(3)放任型父母，接受並以同理心對待小孩的情緒，卻無法對他們的行爲給予指引或加以控制。

爲了讓你對於能夠輔導孩子情緒的父母以及其他三種沒有輔導孩子情緒的父母對孩子反應的差別有個概念，想像戴安，當她的小男孩抗議不要去日間托兒所時，她在各類情況下所扮演的角色。

如果她是一位忽視型家長，她可能告訴他不願去日間托兒所是很「愚蠢的」，而且離開家裡並沒有理由要難過。然後，她大概會用甜餅乾來逗他或者談些關於他老師計劃好的遊戲活動來使他分心，轉移他悲傷的思緒。

作爲一位反對型家長，戴安可能由於約書亞的不合作而責罵他，說她對他那討厭的行爲感到厭倦，並恐嚇著要扁他一頓。

作爲一位放任型家長，戴安可能會包容約書亞所有的哀與怒，施于同理心，告訴他想要留在家中是完全正常的。但接著她就不知道下一步該如何處理。她並不想責罵、痛打或賄賂她的兒子，但留在家中也不是一個選擇。或許，到了最後，她會作一項交換：我跟你玩十分鐘的遊戲——然後出門就不許哭。這樣直到明天再說吧。

那麼到底情緒輔導有什麼不同的做法呢？她可能一開始類似放任型的家長，對約書亞有同理心，並讓他知道她瞭解他的悲哀。但是她會更進一步，開導約書亞如何去處理他不舒適的感受。他們的對話或許會像以下的句子：

戴安：約書亞，來穿上你的夾克。時間到了，該出門了。

約書亞：不要！我不想去日間托兒所。

戴安：你不想去？爲甚麼？

約書亞：因爲我想跟妳留在這裡。

戴安：眞的嗎？

約書亞：對，我想留在家裡。

戴安：哎喲，我就猜得出你的感受。有些早上我眞希望不必趕著出門，讓你我能夠窩在椅子上一起看書。可是你知道嗎？我向辦公室的同事作了一個很重要的承諾，就是我必須在九點前抵達，而我是不能失信的。

約書亞（開始想哭）：爲甚麼！這是不公平的。我不要去。

戴安：約書亞，過來。（將他抱上膝蓋）很對不起，我的小寶貝，我們不能留在家裡。我敢打賭那一定令你很失望的，對吧。

約書亞（點點頭）：對呀。

戴安：而且有點難過？

約書亞：對呀。

戴安：我也覺得有點難過。（她讓他哭了一陣子，同時繼續摟抱著他，讓他滿臉淚痕。）我知道該怎麼做。想想看明天，我們不必去工作也不必去托兒所。我們就可以一整天都在一起。明天你想到要做些甚麼特別的事嗎？

約書亞：可以吃薄煎餅和看卡通片嗎？

戴安：當然可以，這是個好主意。還有其他的嗎？

約書亞：我們可以把我的小推車帶去公園嗎？

戴安：我想可以的。

約書亞：奇爾能一起來嗎？

戴安：或許吧。我們要先問他媽媽。不過現在要出門啦，好嗎？

約書亞：好的。

乍看之下，情緒輔導的父母或許跟忽視型父母很相似，因爲兩者都是將約書亞的念頭轉移到其他事情而不再想到留在家中這件事。但是其中有個很重要的差異。作爲一位情緒教練，戴安認同她兒子的悲哀，協助他形容，允許他體驗自己的感受，並在他哭泣的時候留在他身邊。她沒有嘗試轉移他在情緒上的注意力，她也沒有像反對型的母親因爲孩子感到悲傷而責罵他。她讓他知道她尊重他的感受也認爲他的願望是正確的。

與放任型母親不同的是，情緒輔導的家長會設限制。她利用額外的幾分鐘來處理約書亞的情緒，但是她讓他知道她的工作是不能遲到而且她不能失信於她的同事。約書亞很失望，但這種感受是他和戴安都可以處理的。只要一旦約書亞有機會去識別、體驗和接受這情緒，戴安就向他解釋，要擺脫超越他難過的情緒是有可能的，並可期待著隔日的歡樂。

這些反應都是情緒輔導過程的一部份，是我和我的研究同僚在研究那些成功的親子互動關係中發現的。這過程出現的五個步驟，很典型的是：

(1)察覺到小孩的情緒。
(2)了解情緒是與孩子親近或教導孩子的機會。
(3)以同理心去傾聽，確認孩子的感受。
(4)協助孩子找尋言詞來標示他正在發洩的情緒。
(5)為解決眼前的問題而思索計謀的同時也要設定限制。

情緒輔導的作用

孩子有情緒輔導的父母，到底有甚麼差別呢？經過長時間仔細觀察及分析家庭的用語言詞、行動和情緒反應，我們發現一個重大的差別。一致地實施情緒輔導的父母，比那些沒有提供這類輔導的父母，他們的小孩會有較佳的身體狀況及較優的學業成績。這些小孩與朋友的相處較融洽，較少發生行為上的問題，並且對暴力的傾向也較低。總括來說，有情緒輔導經驗的孩子有較少的負面情緒而有較多的正面情緒。總之，他們在情緒上較健全。

不過讓我感到最意外的是以下這項結果：當母親和父親採用一種輔導方式的養育法，他們的孩子會變得較容易恢復精力。接受情緒輔導的小孩遭遇到困難依然會難過、忿怒、或恐懼，但他們較能慰藉自己，從憂傷中恢復，並繼續積極的活動。換言之，他們在情緒上是較有智力的。

我們的研究確實證明情緒輔導甚至可以保護小孩免受這個已證實有害的影響，即在美國家庭中與日俱增的普遍危機——婚姻衝突和離婚。

超過半數的婚姻最後都以離婚收場，上百萬的小孩有可能面臨著許多社會科學家所認爲的與家庭瓦解有關連的問題。這些問題包括學業差、被其他小孩排斥、沮喪、健康問題、及反社會行爲。這些問題也會影響那些就算父母沒有離異，但卻來自不愉快、充滿衝突家庭的小孩。我們自己的研究顯示當一對夫妻不時地在爭吵，他們的衝突會妨礙孩子建立友誼的能力。我們也發現婚姻衝突會影響小孩的學校功課，還會增加他的疾病感染性。如今我們知道在社會中，這股有害的破碎婚姻的泛濫，主要帶來的結果是在孩童及少年中漸增的越軌和暴力行爲。

但是在我們研究裡情緒輔導的父母，當發生婚姻衝突，或分居或離婚，則有不同的結果。他們的孩子一般只是比研究中其他孩子「較憂愁」，但情緒輔導似乎保護他們免受其他許多有相同遭遇的小孩所經歷的不良影響。之前已證實離婚及婚姻衝突而造成的影響，譬如學業差、富侵略性、以及與同輩的問題等等，都不會出現在受過情緒輔導的小孩身上；這種種都暗示情緒輔導提供給孩子一個最有效的緩衝劑，足以應付父母離婚所造成的情感創傷。

這些發現對那些正在婚姻問題中掙扎和離婚後的家庭很明顯地有相關，而我們也預期未來的研究會顯示情緒輔導可以讓孩子們作爲對抗一大堆其他的衝突、失敗以及心痛時刻的緩衝法。

我們研究中另外一項意外的發現是跟父親有關的。我們發現當父親採納情緒輔導的養育法，對孩子情緒的發展有著非常正面的影響。如果父親察覺到孩子的感受並嘗試去幫助他們解決問題，這些孩子在學校以及與他人的關係，都有較佳的表現。反之，一位情感疏遠的父親——嚴厲、挑剔、或忽視孩子的情緒——可能會產生極強烈的負面影響。他的小孩很可能功課差、與朋友較常打架、健康也不好。（如此對父親的強調並不是說母親的介入對孩子情緒智力沒有同等的影響，她與孩子互動的關係也是重要的。但我們的研究顯示父親的影響，不論好壞，可以是較極端的。）

在孩子的生活中，父親存在的重要性是不可被忽略的，然而美國小孩中，有令人擔憂的百分之二十八在只有母親的家庭中成長。但我們是不應該假設任何父親都比沒有父親好。一個在情緒上有交流的爸爸可以爲小孩的生活帶來無窮的益處，但一個冷淡殘酷的父親可以造成極深的傷害。

雖然我們的研究證實實行情緒輔導的家長能協助孩子發展爲更健康、更成功的成年人，但這個手法對於有嚴重問題，需要專業治療家援助的家庭不是一個「療法」。與支持其他撫養理論的人不同的是，我不保証情緒輔導對家庭生活中一般所有的問題都是個萬能藥。實施情緒輔導並不表示所有的家庭糾紛都會終止，沒有刺耳的話、受創的情感、悲傷或壓力等等，衝突是家庭生活的事實。但無論如何，只要一旦採用情緒輔導，你或許就會感到自己與孩子的關係愈來愈接近。當你的家庭裡有深厚的親密和尊重，家庭成員之間的問題似乎較容易忍受。

最後，情緒輔導並不代表紀律的終止。當你和孩子在情緒上是親密的，你在他們的生活裡有更深的投入，因此也就會擁有更強的影響力。當強硬的手法必要時，你就得嚴格。你發現孩子有過失或態度鬆懈，就要告訴他們。你不必害怕訂立規定，當你覺得他們沒有盡力而爲，就說出你的失望。由於你跟孩子已有了情感的結合力，你的一言一語都是有份量的。他們在乎你的看法，同時不希望造成你的不快。如此，情緒輔導可以幫你眞正地去指導和推動你的小孩。

情緒輔導需要大量的參與和耐心，但基本上跟其他的輔導沒兩樣。如果你要孩子精於棒球，你不會逃避它，反而會在後院中開始與他一起練習。同樣地，如果你希望孩子能夠處理情緒、應付壓力、並發展健康的關係，你不會壓抑或忽視負面的情緒，反而與他交流並提供指引。

雖然祖父母、老師、還有其他的大人都可以作爲孩子生活中的情緒輔導員，但身爲父母，你大概最能勝任這差事。畢竟，是你來決定自己孩子的遊戲規則。而且遭遇困境時，也是你在旁邊照料。不論問題是幼兒哭鬧、便盆訓練、手足相爭、或心碎的約會，孩子都會向你求救。所以你最好戴上教練的帽子，幫助孩子贏這場比賽。

輔導可降低孩子遭遇危險嗎？

無可否認，今天的家長面臨的挑戰是上幾代所沒有的。六十年代的父母可能對畢業舞會上喝酒的問題而焦慮，今天的父母則由於國中生販賣古柯鹼的事實而日日憂愁。昨日的父母擔心他們家的少女那天會懷孕；今天的父母已在教初中生有關愛滋病的常識。上一代少年阿飛的勢力地盤戰只在都市的邊緣地帶爆發，以互毆或偶爾的刺傷結束。今天，青少年流氓幫派在校園附近崛起，加上毒品交易和槍枝的氾濫，幫派的鬥爭常常演變成致命的槍擊案。

青少年的暴力犯罪劇增的速度令人擔憂。在一九八五至一九九〇年間，十五——十九歲少年殺人案在非白種男性中上升了百分之一百三十，而白種男性上升了百分之七十五，所有種族的女性上升了百分之三十。同時，美國年輕男性犯罪的年齡比以前更下降。從一九六五至一九九一年，少年因暴力犯罪被逮捕率增加了三倍。在一九八二至一九九一年間，少年因謀殺被逮捕率增加了百分之九十三，而嚴重攻擊則增加了百分之七十二。

今天家長不只是提供孩子基本的養育、良好的教育、以及有力的道德倫理觀念，更需要關心一些最基本的生存問題。爲害我們國家青少年文化的這股泛濫的暴力，我們該如何使孩子獲得免疫呢？在他們未成熟愼重到可以做負責任及安全的選擇前，我們如何能勸服他們延遲性行爲呢？

多年來，社會科學家已證實由於家庭環境造成的問題——譬如婚姻衝突、離婚、父親實質或情感上的不存在、家庭暴力、不良的教養、疏忽、虐待、及貧窮，都將孩子導入反社會、違法的行爲。建立較美滿的婚姻以及家長有足夠的經濟及社會條件來照料孩子，這才是解決的方法。然而問題在於我們的社會似乎朝著反方向前進。

在一九五〇年，初爲人母的媽媽中只有百分之四是未婚的；今天差不多有百分之三十。雖然今天大部份的未婚媽媽最終也結婚了，但高離婚率——超過半數的首次結婚者——使只有母親的家庭數目居高不降。現在大約佔百分之二十八，而其中約半數生活貧困。

許多來自離婚家庭的小孩缺乏父親方面經濟及情感的支持。一九八九年美國人口普查的數字顯示有資格申請小孩救助金的母親，只有半數獲得全額的補助；四分之一獲得部份的補助而五分之一完全沒有獲得補助。我們對來自分裂家庭小孩的研究，發現在離婚後兩年，大部份的孩子一年沒見過自己的爸爸。

假如再婚，也是有它的問題。離婚在第二次的婚姻比在第一次的婚姻更普遍。雖然調查發現繼父通常有較穩定的收入，但這種關係常常帶給孩子較多的壓力、困惑、及悲哀。有繼父母的家庭比自然的家庭較常發生兒童虐待。根據一份加拿大的研究，繼父母家庭的學前孩子遭受身體或性虐待是那些只跟親生父母居住的孩子的四十倍。

在家庭裡遭受情緒困擾的小孩帶著同樣的問題來到學校。因此，在過去的十年中，國內所有的學校都報告暴增的學童行爲問題。我們的公立學校——許多已經耗盡反稅金優先權的資源——也被召集來爲那些無法在家獲得情緒需求的小孩，提供更多的社會服務。事實上，學校逐漸成爲愈來愈多被離婚、窮苦及忽略所傷害的小孩情緒緩衝的地帶。因此，只有較少的資源來提供基本的教育，而這個趨向也就反映在每況愈下的教育成果。

除此之外，由於過去的數十年勞動量和經濟的改變，所有的家庭都受到壓力。過去二十年的淨收入已經削減，這表示一個家庭需要雙倍的薪津來維持生計。有更多的女性投入付酬的勞動力。至於夫妻方面，當男配偶喪失作爲唯一負擔生計的人的資格時，權力位移而產生壓力。同時，雇主亦要求勞工投入更多的工作時間。根據哈佛經濟學教授茱莉葉·蕭(Juliet Schor)的調查，現在典型的美國家庭，比二十五年前一年多工作一千小時。我們的調查發現美國人的空閒時間，比在七十年代少了三分之一。因此，人們說他們花在一些基本的活動，譬如睡覺、吃飯、和跟孩子玩耍的時間也就較少。在一九六〇至一九八六年間，父母能夠與孩子相聚的時間，在一星期內足足減少了十多小時。由於時間不多，美國人對於能支撐家庭結構的社區及教會活動，也愈來愈少參與。尤其當我們的社會，由於經濟因素常常搬家離開居住的城市而變得愈動盪，愈來愈多的家庭失去鄰居和長久的友情。

所有這些社會變遷的最終結果，就是使我們的小孩面臨著影響他們健康與幸福的危險。可惜相對地，爲了保護小孩而援助家庭的輔助系統卻愈來愈脆弱。

不過，這本書告訴你，我們身爲父母並非無藥可救。研究結果顯示要保護孩子的安全，答案就是要跟他們建立起堅固的感情結合力，藉此幫助他們發展更高層次的情緒智力。不斷增加的證據指出那些能夠感受父母的愛與支持的小孩，比較可以免受青少年暴力、反社會行爲、毒品上癮、未成年性行爲、少年自殺、及其他社會禍害的威脅。研究亦發現在家中感到被尊重和被重視的小孩，功課較佳、人緣好、活得更健康也更幸福。

現在，隨著愈來愈多對家庭情感關係的深入研究，我們漸漸瞭解這個緩衝效果是如何發生的。

作爲進化措施的情緒輔導

作爲對家庭情緒生活的研究，我們請家長講述他們對學前兒童負面情緒的反應。邁克像許多父親一樣，向我們說他覺得他四歲的女兒貝奇，在發脾氣時的樣子很滑稽。「她說：『混蛋！』然後像個小侏儒似地走開，」他說：「眞的是好笑極啦！」

固然，在某個層次上，這位小女孩表達如此強烈的情緒這種對比會讓許多人不禁莞爾。但是，想想看如果邁克用同樣方式對待他老婆發脾氣，又或者，如果邁克氣炸的時候，他的老闆用這種方式來回應他，會怎樣呢？大概邁克一點都不覺得好笑。但是，許多成年人認爲當面嘲笑一個學前孩子沒甚麼大不了。很多善意的父母忽視孩子的恐慌和不安，不將之當作一回事。「沒有甚麼好怕的，」我們常會如此告訴一個從惡夢中驚醒的五歲孩童。「那你一定沒看見我所看到的。」這或許是個適當的回答，不過，在這處境下的小孩卻開始接納大人對這情況所做的意見，而學習去懷疑自己的判斷。隨著大人不時地否定她的感覺，她也就失去了自信心。

因此，我們繼承了不重視孩子感受的傳統慣例，只因爲他們比周遭的大人年紀較小、較不懂事、經驗較少、以及較無權勢。要認眞地對待孩子的情緒是需要同理心、熱心傾聽的技巧、和願意設身處地去理解事情。某種程度的無私也是必備的。行爲心理學家觀察得出學前兒童很典型地都會要求照料者在平均一分鐘三次的情況下，爲他們處理某種的需求或渴望。

在理想的狀況下，一位媽媽或爸爸大概很樂意去效勞，但當父母疲憊或困惱時，孩子不停的或甚至無理的要求可能讓父母抓狂。

幾世紀來都如此，雖然我相信父母都是愛子女的，但是很不幸，歷史的證據顯示先人肯定不知道在處理孩子時所需的耐心、顧慮、及仁慈。精神病學家萊特．德摩斯(Lloyd deMause)在他一九七四年的著作《童年時期的發展》*(The Evolution of Childhood)*，描繪了西方兒童長期以來所忍受的忽略和殘酷的情況。書中亦顯示貫穿十九至二十世紀初期，孩子的苦境逐漸有改善。每一代的父母一般都比上一代的較能符合孩子生理上、心理上及情感上的需求。如德摩斯所描述的，養育一個小孩『逐漸不是征服孩子的意願，而是訓練、引導他進入恰當的軌道，教他順從並讓他溶入群體。』

雖然西蒙．佛洛伊德在一九〇〇年早期的理論可能認爲孩子是高度有性別化、富侵略性的人，但是，稍後根據觀察的研究卻證明並非如此。譬如社會心理學家，萊斯．墨菲(Lois Murphy) 在三十年代以幼童和學前兒童作爲對象，進行了廣泛的觀察和實驗，發現天生大部份的小孩，基本上是互相關愛而理解對方的，尤其是對別的遭受痛苦的小孩。

隨著這種小孩性本善的信仰逐漸廣泛，我們的社會從世紀中葉一直發展至今天這個養育的新時代，即德摩斯所形容的「幫助模式」。這也是一個當許多父母放棄自己曾經被嚴厲、威權撫養的模式的時代。現在較多的家長反而是相信他們的角色是協助孩子依循各自的興趣、需求、及慾望而發展。為達此目的，家長採納心理學理論家戴安娜・波玲德(Diana Baumrind)首度提到的「權威性」養育法。威權父母的特色是立下許多的限制並期望嚴格的服從，但沒有給孩子任何的解釋，而權威父母也有規定，但卻較有彈性，不只給孩子解釋，還有更多溫馨的感覺。波玲德亦形容了她稱為「放任的」第三種養育法，這種父母對孩子行為上的約束很有限，同時是溫馨和可以溝通的。波玲德在七十年代對學前兒童的研究發現威權父母的小孩傾向於受困惱和易暴躁的，而放任父母的小孩常常很任性、有侵略性、缺乏自信、以及成績差。但是權威父母的小孩最有一致的合作、自恃、活躍、友善、及有上進心。

過去二十五年來，對於兒童心理學和家庭人際行為，我們有更深的瞭解，因此能迅速地推動這股朝向較不威權、較有回應的養育方式。社會科學家發現，譬如幼童在出生後，自父母處學習社交及情緒暗示的能力是十分驚人的。現在我們知道一旦照料者敏銳地回應嬰兒的暗示——譬如目光的接觸、輪流說著「兒語」、以及當嬰兒似乎過度被騷擾的時候就讓他們休息——嬰兒很快就學會調整自己的情緒。這些嬰兒在必要時仍然會興奮激動，但稍後他們較能讓自己平靜下來。

研究亦顯示當照料者不理會嬰兒的暗示——譬如說，一位疲憊的母親不跟她的嬰兒說話，或者一位焦慮的爸爸跟嬰兒玩得太過火和太久——這嬰兒就無法發展情緒調整的竅訣。他可能無法學會，咿咿啞啞的聲音可以吸引注意力，所以他變得安靜和被動，並且脫離社交關係。又或許，由於他不時地被騷擾，因此他大概沒有機會知道吸啜大姆指和撫摩毛毯是平靜的好方法。

隨著嬰兒的成長，學習平靜下來和集中注意力愈來愈變的重要。原因之一是這些技巧讓孩子留意父母、照料者和其他人的交際暗示。學習如何平靜下來也能幫助他專心學習於完成特定的差事。同時，在他成長過程中，這對於如何與其他的玩伴分享玩具及嘗試著和睦相處有極大的幫助。最後，這個所謂「自我調整」技巧關係著孩子在打入新的玩耍團體、認識新的朋友和處理被朋友拋棄時排斥心態的能力。

在過去二三十年中，我們對於父母的回應和孩子的情緒智力之間關連的認識，增廣不少。無數的書都灌輸給父母對哭鬧的嬰孩施于關愛與慰問的重要。他們極力主張父母在孩子的成長過程中實行「正面的」訓導形式：多點稱贊少些批評；寧願獎賞而非處罰，鼓勵而不潑冷水。我們很感謝這些理論脫離了那個孩子不打不成器的觀念的時代。如今我們知道要養育品行端正、情緒上健康的小孩，仁慈、溫馨、樂觀和耐心是比藤條更好的工具。

然而，我認爲我們可以在這進化過程裡做的更好。透過家庭心理實驗室的研究，我們現在能夠理會並估量父母與孩子間健康的情緒交流的益處，漸漸瞭解家長對嬰孩的交互作用會影響孩子一生的神經系統和情緒健康，也知道婚姻關係的持久會影響孩子的幸福，而父親對孩子有更多的情感交涉會帶來無窮的潛力。最後，我們可以證明父母對自己情感的察覺亦是增進孩子情緒智力的重點。情緒輔導的大綱——詳述於第三章——是我們根據這些研究而得的養育藍本。

雖然當今大多數與養育有關的普及文獻似乎都避開情緒智力的層面，但還是有例外的。這也就是爲何我必須向一位具影響力的心理學家、導師同時也是作家的漢·金諾致謝，在我們對家庭情緒生活的瞭解上，他有極大的貢獻，在五十及六十年代裡，他寫了三本受歡迎的書，包括《親子之間》*(Between Parent & Child)*，一九七一年他因癌症而英年早逝。

早在將「情緒」及「智力」兩詞結合前，金諾就認爲身爲父母，我們最重要的責任之一是傾聽孩子的訴說，不只是言詞的陳述，還有言詞背後所隱含的情緒意義。他同時也指出情緒的交流可以作爲父母教導孩子價值觀的一個方法。

金諾強調只有在父母對孩子的感受發出眞正的尊重與同理心，才會產生效果的。在父母與子女的交流中，必須經常保留雙方的自尊心。在發出忠告前，必須先表明有瞭解。他不鼓勵父母告訴孩子應該有的感受，因爲如此只讓他們懷疑自己的信心。他說，孩子的情緒不會因爲父母的一句「不要這樣子想。」或者「你們的感覺是不應當的。」而消失。金諾認爲雖然不是任何的行爲都是可以被接受的，但所有的感覺及願望卻是可被接納的。因此，家長應該規範的是行爲而非情緒和欲望。

與許多父母教育家不同的是，金諾不反對對孩子生氣，只要是對事而非抨擊他的人格或個性。他認爲明智地運用父母的忿怒可以成爲有效訓導系統的一部份。

金諾對與孩子情緒溝通的注重，對後人影響至重，其中包括他的學生阿德莉・菲伯(Adele Faber)和依蓮・馬斯李許(Elaine Mazlish)，她們根據他的研究，爲父母寫下重要的工具書，包括《解放的父母／解放的小孩》(*Liberated parent／Liberated children*)、《沒有競爭的兄弟姊妹》(*Siblings Without Rivalry*)、《如何說，小孩子才會聽以及如何聽，小孩子才會說》(*How to Talk So Kids Will Listen & Listen So Kids Will Talk*)，及《如何說，小孩子才能學習》*(How To Talk So Kids Can Learn)*。

然而，雖有這些貢獻，金諾對於情緒重要性的理論，卻依然還只是停留在理論的階段。它們從未在實際上以可靠的科學方法加以證實過。而我在研究夥伴的幫助下，很榮幸地說我可以第一個提供可計量的證據來顯示金諾的觀念基本上是正確的。同理心不只重要，它還是有效養育子女的基礎。

我們如何發現情緒輔導

一九八六年在伊利諾州香培市，我們首先以五十六對已婚夫婦做研究。當時每對夫婦擁有一個四或五歲的小孩。在分發問卷、面談、及觀察行為上，我們研究小組的組員用十四個小時與每個家庭相處。關於每對夫婦的婚姻、小孩與其同輩的人際關係及這家庭對於情感的看法，我們都收集了極豐富和深入的資料。

譬如在一個有錄音的面談場合中，夫妻談他們對於負面情緒的經驗、對情緒表現及控制的看法、以及對孩子哀與怒的感覺。之後，再將這些面談整理解讀為父母情緒的認知與處理、及他們認淸並指導子女負面情緒的能力。至於父母是否尊重子女的感受、及他們如何在孩子不安時談關於情緒的問題，則由我們來做決定。譬如他們是否嘗試教孩子適當的情緒表達的規則？他們是否也使用子女撫慰自己情緒的方法？

至於要取得有關孩子社交能力的資料，我們替每個孩子在家中與一位最要好的朋友玩耍時做一個三十分鐘的錄音。研究員將這些互動情況解讀爲在這場合內小孩表現負面情緒的數量以及孩子嬉戲的整體品質。

在另外一個有錄音的面談裡，每對夫妻用三小時回答有關他們婚姻經歷上無數的問題。譬如他們如何認識？如何交往？如何決定要結婚？他們的關係隨著歲月如何改變？我們鼓勵夫妻倆談他們對於婚姻的看法以及讓婚姻更成功的因素。然後這些錄音帶被解讀爲幾個因素，包括夫妻對對方的喜愛或否定度、他們談關於親密或分開時刻的多寡、以及他們稱讚共同奮鬥的程度。

這些面談和觀察對我們關於這些家庭的瞭解很重要，不過我們研究中最特殊的一點是向參與者收集對情緒的生理反應的資料。我們的目標是測量參與者對情緒「自主的」或無意識的神經系統反應。譬如，我們請每個家庭爲孩子在24小時的期間內收集尿液樣本。這些樣本再送去分析其中所含微量的與壓力有關的荷爾蒙。其他自主神經系統的測量則在我們的實驗室進行，譬如監測參與者的心跳、呼吸、血液的流動、運動肌的活動、以及手汗的流量。

研究這些生理現象和對家庭的觀察比單靠問卷、面談、及觀察能提供更多客觀的資料。顯而易見，要父母誠實地回答類似「你粗暴地批評孩子的次數有多少？」這樣的問題是很難的。就算社會科學家用「偷拍」的方法，譬如以雙面鏡子來觀察實驗對象的習慣，來測定一個人的行爲對另一個人的感覺影響有多少，也是很困難的。追蹤記錄對承受壓力自主的反應反而比較容易。貼在胸膛聽診器似的電極可以監測心跳；另外，電極測量流汗的鹽份所傳導的電流量，也能紀錄手汗流量的多少。

這些科技被認爲頗爲可靠。而執法的官員已例行地以它作爲「測謊」的方法。警察比家庭研究員較有優勢，不過，他們調查的對象可能被嚇得絲毫不敢動。與四、五歲的小孩相處需要較有技巧的方法。這也就是爲何我們替參與其中一項主要實驗的小孩建造了一艘模擬的太空艙。穿上太空衣的小孩在這設計的空間內爬行，他們身上掛滿各種的電極，使我們可以測量他們對一些作爲誘發情緒的活動的生理反應。我們向他們放一些電影片段，譬如《綠野仙蹤》(*The Wizard of Oz*)內「飛猴」的鏡頭。另外，我們也邀請他們的父母在一旁教孩子玩一種新的電動玩具。如此「投入」的參與者使我們可以將研究的情境錄影存檔，利用一些考慮的因素譬如用詞的含意、說話的聲調、手勢等等，有系統地觀察和解讀每個家庭成員的用字、行爲、及臉部表情。

在另外一組測量當父母在討論一些強烈衝突性的話題，類似金錢、宗教、姻親和撫養孩子時，小孩與父母生理和行爲上的反應，我們也採用了相同的監測儀器（除了太空艙例外）。這些「婚姻的交互作用」情況，正面的表情（幽默、關愛、肯定、關注、及歡喜）和負面的表情（忿怒、厭惡、輕蔑、悲哀、干擾等等）都有做解讀。

要瞭解不同養育的方式對孩子往後的影響，我們在三年後重訪一九八六年參與研究的家庭。其中百分之九十五，我們在他們孩子七、八歲的時候取得聯繫。我們再次將每位小孩與他或她的死黨嬉戲的場合錄音下來。我們請學校的老師回答有關孩子在教室內的侵略、退縮程度及社交能力的問卷。另外，老師和母親要填寫對孩子學業表現及行爲的調查。每位母親除了要提供小孩健康的情況，還要監視並報告孩子在一星期內發洩負面情緒的總數。

我們亦收集有關夫妻婚姻的資料。在電話的訪談中，父母告訴我們在這三年內，他們是否已分居或離婚，又抑或他們曾經很認眞地考慮要分居或離婚。在個別分配的問卷中，每位家長也說出他們對自己婚姻當前的滿意度。

這些追蹤調查的結果顯示父母實施情緒輔導的孩子，在學業表現、社交能力、情緒安寧、及生理健康上都有較佳的狀況。甚至在對照IQ、數學和閱讀的能力，成績也較優勝。他們與朋友相處較融洽、社交技巧較有力、同時他們的母親報告這些小孩有較少負面而較多正面的情緒。另外由一些比較當中也顯示出這些有情緒輔導的孩子在生活上經歷的壓力較少。譬如，他們尿液中與壓力相關的荷爾蒙含量較低、休息時的心跳較慢。另外，根據他們母親的報告，他們感染傳染性疾病譬如傷風和流行性感冒的次數較少。

情緒輔導及自我調整

在這些七、八歲受過情緒輔導、具有情緒智力的小孩身上，我們發現許多正面的結果都是我們稱爲「高自主狀態」下這個特徵所產生的效果。此名稱是來自「迷走」神經，那是一條發源自腦部的大神經，作用是爲身體上半部的功能提供刺激，譬如心跳、呼吸、及消化。這條迷走神經負責許多自主神經系統內副交感神經的功能。當一個人處在壓力下，交感神經會使功能如心跳和呼吸加速，而副交感神經的作用則如同一個調整者，煞住這些非自主性功能，以防止體內的系統因加速而失控。

我們使用「自主狀態」來形容一個人對自主神經系統不隨意的生理過程調整的能力。類似有「好的肌肉狀態」的小孩運動成績優越，「高自主狀態」的小孩對情緒壓力的反應與恢復也有優越的能力。這些「自主運動家」的心跳在一些驚慌或緊張的情況下會暫時性地加速，但一當解除危急後，他們的身體能夠快速地恢復。這些孩子善於慰藉自己、集中注意力、及在必要時抑制行為。

譬如在一項火警逃生訓練中，高自主狀態的國小一年級學生就不會有任何的問題，他們會放下手邊的活動，並且有秩序、有效率地離開學校。當火警逃生訓練結束後，這些小孩在很短的時間內，就能安頓下來並專心上他們的數學課。相反地，低自主狀態的小孩在這逃生訓練過程中，很可能比較會產生惶惑混亂。(「甚麼?現在離開?這還不是休息的時間。」)返回教室後，要自興奮中平靜下來並恢復工作是很困難的。

在我們的電動玩具的實驗裡，實行情緒輔導父母的小孩展現出他們真的是我們樣本內的「自主運動家」。他們比那些沒有實行情緒輔導父母的小孩對壓力產生更多的生理反應而隨後的恢復較快。諷刺的是，誘發這些孩子壓力的事件往往是父親的批評或嘲笑，而這些行爲在實施情緒輔導的家庭內並不常發生，或許這就是爲何小孩會有如此強烈的反應。但無論如何，有情緒輔導的小孩比樣本內無情緒輔導的小孩從壓力中恢復的較快，更何況前者事先受到較強烈的生理反應。

這些對壓力的反應和恢復的能力，對小孩的童年及將來都有很好的幫助。它是情緒智力其中的一個層面，能使孩子集中注意力、專心唸書。在與其他孩子相處時，由於它提供小孩必要的情緒反應和自我控制力，所以也有助於結交和維繫友情。自主狀態高的小孩「領會力強」，馬上就注意到其他小孩的情緒暗示並且作出反應。他們也能在強烈衝突的狀況下控制自己負面的反應。

在我們其中一項兩個四歲孩童三十分鐘的嬉戲場合的錄音研究裡，這些特性就顯而易見。這兩個孩子——一個小男生和一個小女生——由於男孩想玩超人遊戲而女孩卻想扮家家酒而爭吵起來。在大呼大喊表達各自的願望之後，男生平靜下來並提出一項簡單的妥協：他們可以假扮在超人的家裡。女孩認爲這主意很不錯，於是兩人在接下來的半小時內，盡情享受著遊戲創作的樂趣。

在兩個四歲孩童之間有如此具創意的妥協是需要許多的社交的技能，包括互相傾聽、設身處地以同理心思考、及共同解決問題。但是孩子從情緒輔導中所獲益的，要遠超越這些社交技巧，它包含著更廣義的情緒智力。這在幼年中期（八～十歲）就會表現出來，因爲他們要被同輩接納的標準，常常是以這孩子在朋友圈中的沉著和情緒平穩的能力作估量。心理學家觀察出在情緒輔導中親子間情緒的表達，實際上可以作爲小孩在這年齡組內的社交傾向。然而，重要的是小孩觀察和瞭解社交暗示的能力，在理解的過程中不致於招來過多對他本身的注意力。我們的研究發現那些在幼年的早期就接受情緒輔導的孩子，確實可以養成這類的社交技巧，如此，有助於被同輩接納及建立友誼。

小孩的情緒智力在某種程度上受氣質所影響——即小孩與生俱來的人格性質——但同樣也會由他與父母之間互動的關係塑造而成的。這影響始自幼年的初期，當小孩未成熟的神經系統正在發育的時候，他們的副交感神經也正在形成，因此小孩對情緒產生的經驗可能對他們自主狀態的發展有很大的影響——因此也關係著將來他們情感的幸福。

所以，父母在孩子幼小的時候幫助他們學習自我慰藉的行爲，就有極大的機會去影響他們的情緒智力。就算是無力的嬰兒，他們從我們對他們痛苦的反應，也能學習到情緒是可以管理的；它可以從極度的悲傷、忿怒、和恐懼轉成安慰和復原的感覺。反之，情緒需求被忽視的嬰兒就沒有機會學習這一課。當他們因爲恐懼、悲傷或忿怒而哭喊的時候，他們只會經歷更多的恐懼、更多的悲傷和更多的忿怒。因此，他們變得被動、大部份的時間沒有表情。但當他們不安時，卻缺乏了控制的理念。由於他們從未被指導如何將痛苦轉成慰藉，所以無法自我安慰。他們經歷的負面情緒就像一個焦慮和恐懼的黑洞。

觀看有情緒輔導的小孩子如何慢慢將照料者安慰的反應納入自己的行爲是十分有趣的。或許你在自己孩子的嬉戲中就看過了。不論孩子是跟一個活生生的玩伴、洋娃娃、或是機械人玩耍，他們總會幻想一些情節，裡面的角色一個是受驚嚇的，而另一個則是安慰者、鎮定者、或英雄的角色。他們孤單不安時就可依循由此種嬉戲所得到的經驗；如此幫助他們建立並實行調整情緒和平靜自己的模式，同時也幫助他們以一種情緒上明智的方法來與別人互相溝通。

父母要養育有情緒智力的小孩，第一步是先瞭解自己處理感情的方法和他們的子女因此受到如何的影響。這也是下一章所強調的主題。

2 評估你養育孩子的作風

情緒輔導的觀念很簡單，它是根據常理和來自我們對孩子最深厚的愛心及同理心。但很不幸的，不是因爲父母愛小孩就天生地會有情緒輔導的能力，而這種正面、溫馨照顧小孩的方法也不是自動地來自父母有意識的決定。情緒輔導是一種藝術，它需要情緒的察覺、一套特別的聆聽法和解決問題的行爲——這些行爲態度是我及我的同事在健康、運作良好的家庭，即可以被形容爲有情緒智力的家庭觀察發現並分析得出的。

我相信幾乎任何一位母親或父親都能夠成爲一位情緒教練，但我也知道許多父母首先必須克服某些障礙。其中一些障礙可能是這些父母以前成長時，家中處理情緒的結果。或者，父母只是缺乏作爲小孩好聽衆的技巧。無論如何，這些障礙阻止他們成爲想像中強而有支持力的父母。

要成爲一位較好的父母——這跟大多數個人的發展與成熟走的路一樣——都是先從自我檢討開始。這一點我們在家庭實驗室中做的研究就幫得上忙了。當然，我們無法替所有的家庭提供像參與研究的家庭那種深入的分析，但是以下的自我測驗可以幫助你評估自己養育孩子的作風。在做完測驗後，我們詳細地描述了研究中發現的四種不同的養育風格，並爲你解釋各種形式的養育法如何影響我們研究的孩子。

自我測驗：你屬於何種類型的父母？

這項自我測驗的問題是關於你對自己和對孩子在憂傷、恐懼、和忿怒時的感覺。請在每一個項目內圈出最適合你想法的選擇。假如你不確定，就取似乎最接近的那個選擇。由於這項測驗需要回答很多的問題，請試著耐心地完成。我們這個冗長的設計是爲了要確保每種養育法其大部份的觀點都有被納入。

T＝對F＝錯

1.孩子其實沒有甚麼好憂傷的。TF
2.我認爲只要是在控制之下忿怒就不是個問題。TF
3.孩子假裝憂傷通常只是要大人替他們感到難過。TF
4.孩子的忿怒是值得我們特地花時間去探討的。TF
5.當我的小孩假裝難過的時候，眞的很令人討厭。TF
6.當孩子難過的時候，我必須要把世界弄得妥當、完美。TF

7. 我在自己的生活裡，眞的沒有時間去憂傷。TF
8. 忿怒是一種危險的狀態。TF
9. 假如你忽視孩子的憂傷，他會走開並照顧自己。TF
10. 忿怒一般意味著侵略。TF
11. 孩子常常假裝悲哀以得逞。TF
12. 我認爲只要是在控制之下憂傷就不是個問題。TF
13. 一個人必須去克服、渡過而非老是想著憂傷。TF
14. 我不會介意處理孩子的憂傷，只要不是太久。TF
15. 我寧願要一個快樂的小孩，而非一個過度情緒化的孩子。TF
16. 小孩難過時，就是解決問題的時刻。TF
17. 我協助孩子快速地渡過憂傷，好讓他們可以往較好的事情邁進。TF
18. 我不認爲孩子憂傷時是一個能教導他許多事情的好機會。TF
19. 我覺得孩子難過的時候，他們過份地強調了生命負面的事情。TF
20. 當我的小孩假裝忿怒的時候，眞的很令人討厭。TF

21. 我對孩子忿怒的程度有所限制。T F
22. 當孩子假裝難過時，是要別人注意他。T F
23. 忿怒是一個值得去探究的情緒。T F
24. 許多孩子忿怒是由於他們不成熟和缺乏理解力。T F
25. 我試著將孩子生氣的情緒換成興高采烈的心境。T F
26. 你應該發洩心中的忿怒。T F
27. 當我的小孩憂傷的時候，這正是達到親密的機會。T F
28. 孩子其實沒有甚麼好生氣的。T F
29. 當我的小孩憂傷的時候，我嘗試幫助他探索使他難過的原因。T F
30. 當我的小孩憂傷的時候，我向他表示我瞭解。T F
31. 我希望孩子體驗憂傷。T F
32. 重要的是找出小孩難過的原因。T F
33. 童年是個逍遙自在的時期，不是憂傷或忿怒的時間。T F
34. 當我的小孩憂傷的時候，我們坐下來討論悲哀這件事。T F

35. 當我的小孩憂傷的時候，我嘗試幫助他理解產生這感覺的原因。TF
36. 當我的小孩忿怒的時候，這正是達到親密的機會。TF
37. 當我的小孩忿怒的時候，我利用一些時間去瞭解並體會這感受。TF
38. 我希望孩子體驗忿怒。TF
39. 我認爲有時候小孩發脾氣是對他們有好處的。TF
40. 重要的是找出孩子感到忿怒的原因。TF
41. 當她難過時，我向她警告不要養成壞習慣。TF
42. 當我的小孩憂傷的時候，我擔心他會發展出一種負面否定的人格。TF
43. 我並沒有眞正試著教孩子特別有關憂傷的事。TF
44. 如果我從憂傷得到什麼教訓，那就是表現它不是什麼壞事。TF
45. 我不確定憂傷是否可以被改變。TF
46. 除了給一個憂傷的小孩提供慰藉，你幫不了什麼忙。TF
47. 當我的小孩憂傷的時候，我嘗試讓他知道無論如何，我都是愛他的。TF
48. 當我的小孩憂傷的時候，我不太確定她要我做甚麼。TF

49. 我並沒有眞正試著教孩子特別有關忿怒的事。TF

50. 如果我從忿怒得到什麼教訓，那就是表現它不是什麼壞事。TF

51. 當我的小孩忿怒的時候，我嘗試去理解他的心情。TF

52. 當我的小孩忿怒的時候，我嘗試讓她知道無論如何，我都是愛她的。TF

53. 當我的小孩忿怒的時候，我不太確定他要我做甚麼。TF

54. 我孩子的脾氣很壞，讓我擔心不已。TF

55. 我不認爲孩子發怒是對的。TF

56. 發怒的人是失控的。TF

57. 表達忿怒的小孩逐漸形成發怒的性情。TF

58. 孩子發怒以得逞。TF

59. 當我的小孩忿怒的時候，我擔心的是他破壞的傾向。TF

60. 假如你允許小孩發怒，他們會以爲每次都會得逞。TF

61. 發怒的小孩是失禮的。TF

62. 小孩發怒的樣子是很滑稽的。TF

63. 忿怒有干擾我做判斷的傾向，使我做出後悔的事情。TF
64. 當我的小孩忿怒的時候，這正是解決問題的時機。TF
65. 當我的小孩忿怒的時候，我認爲是時候要揍一頓了。TF
66. 當我的小孩忿怒的時候，我的目標是使他停止。TF
67. 我不花費太多的心思在孩子的忿怒上。TF
68. 當我的小孩忿怒的時候，通常我不把它當一回事。TF
69. 當我忿怒的時候，我感到自己快要爆炸似的。TF
70. 忿怒成就不了任何事情。TF
71. 表達忿怒對孩子是很刺激的。TF
72. 孩子表達忿怒是重要的。TF
73. 孩子有權利表達忿怒。TF
74. 當我的孩子抓狂時，我就找出讓她抓狂的原因。TF
75. 幫助孩子找出引起他忿怒的原因是重要的。TF
76. 當我的孩子對我生氣，我就想：「我不要管它。」TF

77. 當我的小孩忿怒時，我就想：「要是他學會打拳擊多好。」T F

78. 當我的小孩忿怒的時候，我就想：「爲甚麼她不能接受事情就是如此？」T F

79. 我希望孩子發怒，爲自己辯護。T F

80. 我不花費太多的心思在孩子的憂傷上。T F

81. 在我的小孩忿怒的時候，我想知道她當時的想法。T F

如何解析你的成績

●忽視型

將以下題目你說「對」的次數加起來：

1, 2, 6, 7, 12, 13, 14, 15, 17, 18, 19, 24, 25, 28, 33, 43, 62, 66, 67, 68, 76, 77, 78.

總合除以23。這是你的忽視分數。

●反對型

將以下題目你說「對」的次數加起來：

3, 4, 5, 8, 10, 11, 20, 21, 41, 42, 54, 55, 56, 57, 58, 59, 60, 61, 63, 65, 69, 70.

總合除以22。這是你的反對分數。

●放任型

將以下題目你說「對」的次數加起來：

26, 44, 45, 46, 47, 48, 49, 50, 52, 53.

總合除以10。這是你的放任分數。

●情緒輔導型

將以下題目你說「對」的次數加起來：

16, 23, 27, 30, 31, 32, 34, 35, 36, 37, 38, 39, 40, 51, 64, 71, 72, 73, 74, 75, 79, 81.

總合除以22。這是你的情緒輔導分數。

現在比較你四項的分數。你那裡得分愈高，表示你愈傾向那種的養育方式。接下來再看看以下列舉的項目表，它概述了每種養育法的典型行爲並且解釋各種養育法如何對孩子造成影響。

你從這個表上能夠找到對各種類型更深入的描述。這些描述是來自我們向有四、五歲孩子的父母所做的「後設情緒面談」，以及根據這個研究，在我領導下的一個養育小組內父母所講的故事。在你讀的時候，邊想著你和自己小孩的互動關係，看它們和你的養育作風相同或相異。你或許也想回憶自己童年時與父母相處的經驗。這些記憶對於評估你作為一位母親或父親能力的強弱也有幫助。想想在你成長的家庭中察覺情緒的方式。那時你的家人有甚麼樣的情緒觀？他們是否將悲哀與發怒視為自然的事件？當家庭成員有人感到不愉快、恐懼、或忿怒時，他們是否願意傾聽？他們是否有利用這種時刻來向對方表現支持、指導、並互相協助將問題解決？抑或常常將忿怒看作是具有潛在破壞性，視害怕為卑怯，視憂傷為自憐？感情是否加以隱藏或忽視，認為是無益的、不重要的、危險的、或是放縱的？

不要忘記，許多家庭有一個「混合的」情緒觀，即是說他們對表達情緒的態度可能因情緒不同而有差別。父母會認為，譬如，偶爾有一次憂傷也不錯，但發怒的表現卻是不適當或危險的。另一方面，他們可能尊重孩子的忿怒，認為是「有主見的」，但卻將害怕或傷心看作懦弱或「孩子氣的」。此外，家庭中各成員可能有不同的標準。一些會認為，譬如兒子發脾氣和女兒憂傷是OK的，但倒過來時卻行不通。

假如在讀完各種不同的養育作風後，你發現自己跟孩子的關係中有某方面你想有所改變，第三章的忠告對你就有幫助，它對構成情緒輔導的五個步驟做了詳細的報導。

養育的四種作風

●忽視型父母

- ●將孩子的感受看作是不重要、膚淺的。
- ●擺脫或不理睬孩子的感覺。
- ●想要孩子負面的情緒迅速地消失。
- ●典型地用精神分散來制止小孩的情緒。
- ●可能將小孩的情緒滑稽化或小事化。
- ●認爲小孩的感情是不理性的，也就無意義。
- ●對孩子嘗試溝通的事情，表示興趣不多。
- ●可能對自我和他人缺乏情緒的察覺。
- ●對小孩的情緒感到討厭、恐懼、煩惱、傷害、或崩潰。

- 害怕在情緒上「失控」。
- 對如何「渡過」情緒比情緒本身的意義更重視。
- 認爲負面的情緒是有害或「有毒的」。
- 認爲重視負面的情緒只會「把事情弄得更糟」。
- 對於孩子的情緒感到「不知所措」。
- 認爲孩子的情緒是一種「處理」事情的要求。
- 認爲負面的情緒表示孩子適應不良。
- 認爲孩子負面的情緒是歸咎於父母。
- 低估孩子的情緒，將導致這情緒的事件輕描淡寫。
- 不與孩子共同解決問題；認爲時間會解決大部份的問題。

這模式對小孩的影響：他們學到自己的感覺是不對的、不適當的、沒有根據的。他們可能以爲自己會有這樣的感受是因爲天生就有些毛病。他們或許在調整自己的情緒上會有困難。

●反對型父母

- ●表現出許多忽視型父母的行爲，但是其方式更爲負面。
- ●批判孩子的情緒表達。
- ●知道限制孩子的必要，但程度過份。
- ●強調服從良好的標準或行爲。
- ●不論孩子是否行爲不端，只要有情緒的表現就譴責、訓導、或處罰他。
- ●認爲負面情緒的表達要有時間限制。
- ●認爲負面情緒反映出惡劣的品格。
- ●認爲孩子利用負面的情緒來操控；這種看法只會導致權力鬥爭。
- ●認爲情緒使人軟弱；而孩子爲了生存情感上必須「堅強」。
- ●認爲負面情緒一無事處，浪費時間。
- ●將負面情緒（尤其是哀傷）視爲一種不能加以浪費的商品。
- ●頗注重孩子對權威的服從。

這模式對小孩的影響：（與忽視型的作風相同）

●放任型父母

- 自由地接受孩子所有的情緒表現。
- 給經歷負面情緒的孩子慰藉。
- 對於行爲不提供很多的引導。
- 不教導孩子有關情緒的問題。
- 放任的；不設限。
- 不幫助孩子解決問題。
- 不教導孩子解決問題的方法。
- 認爲對於負面情緒除了「安全渡過」之外，幫不了什麼忙。
- 認爲處理負面情緒是水力學的問題；釋放情緒，就大功告成了。

這模式對小孩的影響：他們不會學習去調整自己的情緒；對於友誼的形成、親和、以及與其他小孩的相處，都會有困難。

●情緒輔導型父母

- 重視孩子負面的情緒，看作是親密的機會。
- 能耐心地在一個憂傷、忿怒、或害怕的小孩身上花時間；對情緒不會變得不耐煩。

- 察覺並重視自己的情緒。
- 將負面情緒的世界看作是培養孩子重要的舞台。
- 對孩子的情緒，甚至那些複雜的、不可思議的狀態，他們的感覺敏銳。
- 對孩子情緒的表達不感到惶惑或焦慮；知道甚麼是該做的。
- 尊重孩子的情緒。
- 不戲弄或淡化孩子負面的情緒。
- 不說孩子「應該」有如何的感覺。
- 不覺得自己必須替孩子「處理」好所有問題。
- 利用情緒性的時刻

——傾聽孩子的心聲。

——以安慰的言詞和關愛對孩子施于同理心。

——幫助孩子標示他（她）們正在發洩的情緒。

——提供情緒調整的輔導。

——立規範並教導可被接納的情緒表現。

——教導解決問題的技巧。

這模式對小孩的影響：他們學會相信自己的感覺、調整自己的情緒、和解決問題。他們有崇高的自尊、學習能力良好、與其他人相處融洽。

忽視型父母

如果勞伯得知自己被形容爲忽視型父母，大概會感到很訝異。畢竟，在與我們的研究人員面談裡，很明顯地，他熱愛女兒賈西卡並且與她共渡許多時間。當她傷心時，他盡其力去哄她。他說：「我抱著她到處逛並問她是否需要些甚麼。『妳想看電視嗎？我可以帶妳去看電影？妳想去外面玩嗎？』我跟她一起解決問題看我是否能改變情況。」

但無論如何，勞伯沒有做到一件事，就是正面面對小孩憂傷的問題，譬如，「賈西卡，妳感覺怎樣？今天是否有點難過？」他以爲專注在不舒適的感覺如同在火上加油。像許多父母一樣，他害怕忿怒或哀傷的感覺會掌控了自己的一生；這些是他不希望帶給自己的，當然肯定也不要帶給他寶貝的女兒。

不理睬負面的感情是許多忽視型父母在童年時學習到的一種行為模式。一些人像占姆，是在暴戾的家庭裡成長的，他還記得三十年前父母的爭吵，以及他和兄弟姊妹如何分散到不同的房間，各自靜靜地掙扎對抗。他們從不被允許提起關於父母的問題或是他們的感受，因為這樣只會激起父親更大的狂怒。現在占姆也結婚生子了，一旦有絲毫的衝突或創痛，他仍繼續閃躲和掩飾自己。他甚至覺得難以跟六歲的兒子談關於在校內他被人欺凌的問題。占姆希望能跟兒子更親近些，傾聽他的訴說並幫他解答問題，但是關於討論內心的問題，他沒有多少經驗，因此，很少有這類的對話，他的兒子在感受到父親的不安後，也就不打算提起這類問題。

一些被貧窮或疏忽的父母撫養長大的人也可能在面對小孩的情緒時發生問題。由於自孩童時就作為救援者的角色，這些父母承擔了過多個人的責任來替孩子「修補」每次的傷害，糾正所有的不公平。這種超人的工作變得讓人招架不住，父母失去洞察甚麼是孩子真正所需的。譬如我們研究的一位母親，當她的學前小孩摔破了他最喜愛的玩具飛機後，她對於自己無法安慰孩子而感到迷惑及煩惱。如果她無法將這小玩意弄好—即是說為他把世界重新弄完美—她就不太確定如何去幫助解決小孩的悲傷。在小孩的憂傷中，她只感覺到要把世界弄得更好。她沒有感覺到他所需要的是慰藉和瞭解。

久而久之，這類父母可能就會將孩子所有悲哀與忿怒的表現看作是難以達成的要求。由於感到挫折及被操控，於是他們用不理睬或淡化的反應來對待孩子的苦惱。他們嘗試將問題縮小簡化，再置一旁讓它可以被忘記。

「如果傑瑞米進來說他其中一個朋友取走了他的玩具，我就只是說：『好吧，不必擔心，他會歸還的。』」研究組裡的一位父親湯姆解釋。「又或者他說：『那傢伙打我。』我就說：『那大概是不小心的。』我想教他將忿怒發洩在打拳擊上，並且好好地過他的日子。」

傑瑞米的媽媽瑪莉安說她也以類似的態度對待兒子的憂傷。她說：「我給他冰淇淋吃，讓他高興，讓他忘記這件事。」瑪莉安表達了一個在忽視型父母中常見的一個看法：孩子不應該是悲傷的，如果他們眞的憂傷，那麼孩子或父母任一方在精神上是有缺失的。「當傑瑞米難過時，也讓我痛心，因爲你希望你的孩子都是心身健康愉快的，」她說：「我不想看到他煩亂不安，我希望他永遠都快樂。」

由於忽視型父母常常認爲笑與幽默比較灰暗的心情更重要，所以許多人成爲「淡化」小孩負面情緒的大師。譬如，他們可能嘗試逗笑一個傷心的小孩，或者取笑一個生氣中小孩不舒適的感受。不論他們的言語是否出自好意（「那可愛的微笑去了哪裡？」）或是夾帶羞辱（「喲，威利，不要像個小娃娃似的！」），這個孩子聽到的都是相同的訊息：「你對這情況的評估是全盤錯誤的。你的判斷是毫無根據的。你不能相信自己的內心。」

許多淡化或不重視孩子情緒的家長覺得自己的所爲是正當的，因爲他們的後代「只不過是小孩子」罷了。忽視型父母將這種冷淡的態度加以合理化的解釋，認爲孩子對摔壞的玩具和遊戲同伴之間的爭執的關心是小事一樁，跟大人的憂慮，譬如失業、婚姻的瓦解、或者國債的問題相比之下，更是微不足道。況且他們推論孩子可能是不理性的。問到如何對待女兒的憂傷時，一位困窘的父親回答說他沒有任何的反應。他說：「她不過才是一個四歲的小娃娃，」她憂傷的心情常常「是由於對這世界是如何運作缺乏瞭解，」，所以不值得他的尊重，他解釋：「她的反應不是大人的反應。」

這並不代表所有忽視型父母都缺乏靈敏的感覺。其實，許多人對孩子感情深厚，他們的反應單純地出自父母保護子女的天性。他們可能以爲負面的情緒多少都是「有毒的」並且不希望孩子「曝露」在傷害中。他們以爲長期「停留」在情緒中是不健康的。假如他們眞有跟孩子參與解決問題，他們寧可專注於如何「渡過」情緒而非將重點放在情緒的本身。譬如莎拉對四歲的女兒由於寵物天竺鼠之死的反應而擔心。她解釋：「我害怕如果我坐下來跟貝奇一樣地情緒化，那只會使她更煩惱不安。」所以，取而代之，莎拉以低調處理。「我告訴她：『沒關係，你知道嗎？類似這樣的事情常會發生。你的天竺鼠老啦，我們再去買一隻。』」雖然莎拉平靜的回答可以解除她在處理貝奇的傷心時的焦慮，但大概並沒有讓貝奇覺得有被瞭解或有被慰藉。確實，貝奇可能會懷疑：「如果這不是甚麼大不了的事情，爲何我感覺糟透了？我猜自己大不了只是個大娃娃，」

最後，一些忽視型父母似乎由於以爲變得情緒激動後，不可避免地引致「失控」的恐懼而否認或忽視孩子的情緒。你大概會聽見這些父母將負面的情緒用隱喻如火、炸藥、或暴風雨來表示相似的意義。「他「秀豆」啦。」「她向我發火。」「他像暴風雨似地在這裡抓狂。」

這些父母可能就是在孩童時沒有得到多少的幫助讓他們學習去調整自己的情緒。因此長大後，當他們感到悲傷時，他們害怕自己滑入無止境的沮喪中。又或者當他們感到忿怒時，他們害怕自己失控傷害別人。譬如芭芭拉覺得在丈夫與孩子面前爆發脾氣是錯的。她認爲忿怒是「自私的表現」或是危險的，「像殺人蜂」。除此之外，她說她的忿怒「於事無補……我將聲調提高至最響亮……致使他們對我生厭。」

由於事先已經認爲自己的忿怒並不討人喜歡，芭芭拉就運用幽默來消滅女兒的脾氣。她說：「當妮可兒生氣時，我就微笑。有時候她表現得極爲可笑，我就明白告訴他。我說：『來眞的呢，』或『放輕鬆。』」對芭芭拉而言，妮可兒到底是否覺得處境滑稽似乎並不重要；一個生氣的妮可兒只讓她感覺好笑。她說：「她是如此地小巧並且滿臉漲紅，我很容易就把她看成一個小娃娃並且（想）：『那不是很有趣嗎？』」

芭芭拉盡她所能去轉移妮可兒負面的感受。她憶起有一次妮可兒的哥哥和他的朋友不允許妮可兒加入他們的遊戲，於是妮可兒向他們大發脾氣。「我就將她抱上膝蓋玩這個遊戲，」芭芭拉驕傲地解釋著。她指著妮可兒深紅色冬天的緊身褲問：「妳的腿怎麼啦？整個都變成紅色還有絨毛呢！」這次的逗弄讓妮可兒格格地笑。妮可兒或許能夠感受母親的溫馨與關切，也讓她忘記忿怒，注意起其他的事。芭芭拉認爲她對這事件的處理很成功，她說：「我刻意這麼做因爲我知道……這的確是應付她的一個好法子。」不過芭芭拉錯過了跟妮可兒談有關妒嫉和排斥的感覺的機會。這個事件本來可以作爲芭芭拉向妮可兒表達同理心的機會，幫助她認淸自己的情緒。她甚至可以指導妮可兒解決與哥哥紛爭的方法。但相反地，妮可兒得到的訊息是她的忿怒並不重要；最好是把它壓抑在心底不當一回事。

反對型父母

反對型父母與忽視孩子情緒的父母有許多共同的地方，只有一些差異：當提到孩子的情緒經驗，他們明顯地愛批評和缺乏同理心。他們不只是忽視、否認、或淡化孩子負面的情緒；他們還不贊成。因此，他們的孩子常常由於表達哀傷、忿怒、和恐懼而被譴責、訓戒、或懲罰。

反對型父母易於將注意力放在孩子發洩情緒的行為上而不是嘗試去瞭解他們的情緒。譬如一個小女孩忿怒時跺脚，她的母親可能因爲這種討厭、大膽的表現而揍她一頓，但事先她並沒有探究使女孩生氣的原因。一位父親可能因爲兒子在就寢前有哭鬧的壞習慣而責罵他，但卻從來沒有注意孩子的眼淚與對黑暗的恐懼兩者的關連。

反對型父母可能會以批評性的態度來處理孩子的情緒經驗，斟酌狀況後才決定這個處境是否應該加以慰藉、批評、或（在一些個案裡）懲罰。祖兒的解釋是：「假如汀米眞的有一個好原因使他情緒低落——譬如他因爲媽媽去上晚班而想念她——我就能理解，對他產生同理心，並試著令他高興。我擁抱他，將他左右地搖擺，嘗試使他脫離那心情。」但是如果汀米由於祖兒不喜歡的原因而煩惱——「譬如像我叫他去睡午覺還是其他事情」——祖兒粗暴地回答：「他難過只是因為他要做一個小搗蛋，所以我不理他或叫他乖一點。」祖兒將自己不同的處理方式合理化為一種管訓的方式。「汀米必須學習不做那種事（由於不正當的原因而憂傷），所以我告訴他：『嘿，愁眉苦臉不會帶給你任何好處的。』」

許多反對型父母將孩子的眼淚視為一種操控的形式，而這使他們不安。一位母親如此形容：「每當我的女兒哭喊鬧彆扭時，她只是要引人注意，」將孩子的眼淚或發怒想成這樣，是將情緒的狀況變為權力的鬥爭。父母或許會想：「我的小孩哭鬧是因為他想從我這邊獲得某些東西，而我必須給他，否則我就要忍受更多的哭喊、更多的鬧彆扭、及更多的鬧情緒。」情緒因此受到扭曲或「被勒索」，父母乃以忿怒和懲罰來應付。

跟許多忽視型父母相似的是，一些反對型父母害怕情緒激動的狀況因為他們害怕失去對情緒的掌控。琴，是五歲克麥龍的母親，她說：「我不喜歡生氣因為我覺得它帶走了我的自我控制。」與一個造反的小孩對立，這些父母感覺自己顯露出連他們本身也毫無信心的情緒和行為。在這些情況下，他們可能覺得由於孩子「使他們生氣」，所以懲罰孩子是合理的。琴解釋：「如果克麥龍開始吵鬧，我就說：『我的忍受是有限度的！』然後如果他繼續這樣下去，他就會挨揍。」

玲達嫁給一個脾氣暴躁的男人，她害怕四歲的兒子羅斯長大後會「像他爸爸」。由於極度渴望想將他從命運中拯救出來，她的反應很激烈。當羅斯煩惱時，她說：「他又踢又鬧，所以我給他一巴掌好讓他冷靜下來。或許這樣是不對的，但我眞的不希望他有壞脾氣。」

同樣地，一些父母由於孩子宣洩情緒而責罵或處罰他們，好讓他們「變得更堅強」。表現恐懼或憂傷的男生最容易被反對型父親施以這類的對待，這種父親認爲世界是冷酷無情的，而他們的兒子最好學著不要成爲「膽小鬼」或「哭寶寶」。

在一些最極端的例子中，一些父母似乎堅決的要教導孩子完全不要表達負面的情緒。一位父親語帶諷刺地談起他的女兒：「凱蒂難過啦，哪我要做甚麼呢？呵她下巴嗎？我不認爲這是你該做的。我想每個人都必須找出解決自己困難的方法。」這位父親用以眼還眼的方式來對付女兒的忿怒—當她抓狂時，他也抓狂。如果凱蒂「失控」，李察便「打她屁股」或「敲她頭頂」。

當然，就算是在反對型父母中，我們發現這類全盤的反對和粗暴的處理是少之又少的。

只有在某些情況下，父母才比較會是反對型的。譬如，一些父母似乎可以忍受負面的情緒——只要這事件經過的時間是他們可接受的。有一位父親竟然在他腦海裡出現一個鬧鐘的圖像。他說「在鬧鐘響之前」他都可以忍受兒子的壞情緒，但是，鬧鐘響起，「就是使他脫離這狀態的時候」，對他的懲罰是將他與其他家庭成員隔離。

一些家長反對孩子對負面情緒的體驗——尤其是哀傷——因爲他們認爲這是「浪費」精力。一位父親形容自己爲「無情的現實主義者」，他說他不贊成小孩悲傷，認爲那是「白費時間」和「一點都沒有做些建設性的事」。

另外一些人覺得傷心是一件珍貴和有限之物；將有限的眼淚浪費在小事情上，當遇到生命中重大的創傷時，你就沒剩下幾滴淚水了。但不論反對型父母將憂傷以眼淚的流量或花費的時間來計算，都存在同樣的問題——浪費眼淚的孩子。格雷克說：「我告訴查理把憂傷留到重要的事情，像死了狗。你不必爲丟了玩具或撕裂了書中的一頁而浪費時間難過，但寵物的死——倒是值得去傷心的。」

在家庭生活中運用這種隱喻，不難看出孩子可能由於將憂傷浪費在「微不足道的小事」而受到處罰。同時如果他的父母在孩童時代情緒也被忽視，那麼他們很可能更覺得孩子的憂傷是一種「奢侈」，只有那些「在情緒上得天獨厚的人」才付得起。我們想起研究組裡的一位母親凱倫，她被雙親遺棄再由一連串的親戚撫養大。她在小孩時缺乏情感的慰藉，所以現在凱倫不太能夠忍受女兒的「壞情緒」。

忽視型與反對型父母兩者之間有不少的重疊。實際上，今天視自己爲忽視型的父母，隔天可能發現自己的表現更像反對型的父母。

忽視型與反對型父母的孩子也有許多的共通點。我們的研究得知這兩組的孩子很難相信自己的判斷。他們不斷地被告知自己的感受是毫無根據的、不適當的、或者不正確的，所以長大後認爲自己有這樣的感覺是天生有問題的。他們的自尊受挫，對於學習調整自己的情緒和解決自己的問題，也會遇到更多的困難。比起其他的小孩，他們在集中注意力、學習、與同輩的相處上，都會發生更多的麻煩。此外，我們可以假設那些由於表達自己的情緒而受責罵、孤立、挨揍、或甚至懲罰的孩子，他們得到一個強烈的訊息就是情緒的親近是一件高危險性的事情；它可帶來恥辱、拋棄、痛苦、和虐待。假如我們有一個測量情緒智力的尺度，這些孩子很不幸的，成績大概都不太好。

結果是可悲的諷刺，那些忽視或反對孩子情緒的父母，他們之所以如此，一般都是出自對兒女最深切的關心。爲了要保護孩子不受情感上的創傷，他們提前阻止可能引致流淚或發怒的情況。爲了造就堅強的男子，他們懲罰表現恐懼或悲哀的兒子。爲了培養仁慈的女子，他們鼓勵女孩把忿怒吞下去，換成一張笑臉。但到最後，所有這些計謀都失敗了，因爲不被賜于機會去體驗自己的情緒並有效地處理感情的小孩，長大後對於面對生命的挑戰是毫無準備的。

放任型父母

跟反對型和忽視型父母不同的是，我們研究中的一些對象證明是完全可以接受孩子的情緒，不論孩子表達何種情感，他們都無條件熱切地包容。我稱這種養育的作風爲「放任型」(Laissez Faire)，法文原本的意思是指「允許他們去做」。這些父母對小孩充滿同理心，他們也讓孩子知道不管怎樣，他們所經歷的，對於爸媽而言，都是OK的。

問題是，放任型父母似乎常常能力不足或不願意去教導孩子如何處理負面的情緒。這些父母對於小孩的感覺抱持一種「不予干涉」的哲學。他們傾向將忿怒與悲哀看成一種水力學的事情：允許你的孩子釋放蒸氣，那麼你作爲父母的任務就完成了。

放任型父母似乎不太懂得如何幫助孩子在情緒經驗中學習。他們不教導孩子如何去解決問題，而且許多人在規範行爲時感到難堪。有些人或許會稱呼這些家長爲「過份自由的」，因爲在名爲無條件的接受下，他們蹤容孩子表達不適當和／或無約束的情緒。一個忿怒的小孩變得有侵略性，利用她的言語或行動來傷害別人。一個傷心的小孩盡情地哭鬧而未察知如何去安撫和慰藉自己。雖然父母可以接納這種負面的情緒表達，但對沒有多少人生經驗的小孩而言，他很可能感到恐慌，像似進入一個痛苦的情緒黑洞，卻又不知道如何逃離。

我們研究發現許多放任型父母似乎不確定關於情緒要教給孩子甚麼。有些說他們從不曾在這方面思考過。其他模糊地表示說他們希望給孩子「一些更多的東西」。不過他們似乎眞的很迷惑父母除了能提供無條件的愛之外還能做甚麼。

譬如盧安，她對於別的小孩對待她的兒子托比不好而表現眞正的關心。她說：「他爲此變得煩惱不安，而這也讓我傷心。」但當被問及她如何回應他時，她只能說：「我試著讓他知道不管如何，我都愛他；我們想的全是他的世界。」雖然對於托比這是個好消息，但這大概不會對他和他的玩伴重修和好有幫助。

類似反對型和忽視型父母，放任型父母的作風也可能是來自孩童時代的一個反應。莎莉的父親有虐待肉體的傾向，小時候她不被允許發洩忿怒和沮喪。她解釋：「我要我的孩子知道他們可以隨興放聲大哭大喊，我希望他們知道可以說這句話：『我不喜歡被欺壓。』。」

然而，莎莉承認她常常因父母這個身份受挫而變得不耐煩。「當蕾秋做錯事時，我希望能對她說：『那不是一個很好的主意，或許我們應該嘗試不同的做法。』」但她卻常常會對蕾秋尖叫大喊——有時候甚至掌摑她。她悲嘆地說：「我覺得自己已經沒有其他辦法，只有那樣才行得通。」

另外一位母親，愛美，她記得在小時候感到一股莫大的憂鬱——她懷疑是現在臨床上所謂的抑鬱症。「我想那是來自恐懼，」她回憶著，「並且可能是對於擁有情緒而生的恐懼。」不論它的來源爲何，在愛美的一生中，她不記得有任何大人願意跟她談關於她的感受，反而只聽到叫她改變態度的命令。「人們一直告訴我『微笑！』那只讓我感到反感。」結果，她學到掩飾憂傷、退縮。長大後，她成爲熱心的賽跑員，在孤單的訓練中使她的抑鬱找到慰藉。

現在愛美自己有兩個小孩，她察覺到其中一個兒子亞歷士也經歷相同類型的再發性憂傷，而她對他有著深切的同理心。「亞歷士將之形容爲『一種奇怪的感覺』，這正是我小時候的感受。」當亞歷士情緒低落時，她決定不叫他微笑，她告訴他：「我瞭解你的感受，因爲我曾經也有過相同的經驗。」

然而，當亞歷士意氣消沉時，愛美要與他共處也發生困難。被問及當亞歷士表現難過時她有如何的反應，她說：「我去跑步。」事實上，她是退縮，將兒子丟在一個跟她孩童時大同小異的困局裡。亞歷士獨自在焦慮和恐懼中飄盪；他的母親無法給他支撐情緒的靠山。

這種只有接受而無輔導的放任型父母對他們的孩子會有甚麼樣的影響？很不幸的，結果並不是正面的。由於大人的指導不多，這些孩子沒有學到調整自己的情緒。當他們生氣、傷心、或不安時，他們通常都缺乏使自己平靜的能力，也就很難集中注意力去學習新的技巧，因此，在校的成績也不會很好。要瞭解社交的暗示，對他們而言也較困難，即是說他們可能在結交和擁有朋友時會遭遇困難。

同樣地，結果也是很諷刺的。放任型父母以全盤接受的態度，意圖給孩子所有得到幸福的機會。但由於他們無法提供給孩子有關如何處理難熬的情緒的指導，他們的孩子最後跟反對型和忽視型父母的孩子有差不多的結果——缺乏情緒智力、對未來毫無準備。

情緒輔導型父母

在某些方面，情緒輔導的父母跟放任型父母差不多。兩組似乎都能無條件地接受小孩的情感，他們也沒有意圖去忽視或否認孩子的感覺，也沒有因爲孩子情緒的表達而淡化或取笑他們。

不過兩者之間有著很明顯的差別，情緒輔導型父母在情緒的世界裡作爲孩子的嚮導。他們除了接納之外，進一步規範不適當行爲的限度，並教導孩子如何調整他們的情緒，尋找合適的發洩管道，以及解決問題。

我們的研究顯示情緒輔導型父母對於自己和他們關愛的人的情緒有強烈的洞悉力。此外，他們也承認所有的情緒——甚至那些我們一般認爲負面的，譬如憂傷、忿怒、和恐懼——在我們的生活上可以發揮有用的效果。譬如一位母親提到她對官僚主義的忿怒如何刺激她書寫抗議的信函。另一位爸爸談及他太太的忿怒如何成爲一股創造力，推動她在家中進行新計劃。

即使憂鬱的情緒也是以正面的觀點來看待。丹說：「每當我感到情緒低落，我知道那是告訴我把步調緩慢下來，注意我身旁發生的事情，尋找失去的是甚麼東西。」他將這種觀念延伸至他和女兒之間的關係。他視珍妮花憂傷的時刻爲親近的機會而不是加以反對或嘗試掩飾她的感覺。「在那時刻我可以只抱著她，跟她談談，也讓她說出內心的話。」一旦父親和女兒站在同一個水平上，也就是珍妮芙學習更多有關她的情緒世界以及如何與他人溝通的機會。「十次有九次是，她眞的不曉得自己的感覺從何而來，」丹說：「所以我嘗試幫助她去認清自己的感情……然後我們討論下次要怎麼辦，該如何處理。」

許多情緒輔導的父母認爲他們對孩子情緒表達的瞭解是父母與小孩共享同樣價値觀的象徵。一位母親形容當她看到五歲的女兒爲了一齣悲慘的電視劇而淚汪汪時，她有多麼地喜悅：「我很高興，因爲這樣讓我覺得她有愛心，她除了自己以外，還會關心其他的人和其他的事情。」

另一位母親說那天她四歲的女兒在被責罵後突然反駁，她是多麼地驕傲（但也很驚訝）「媽咪，我不喜歡妳說話的聲調！」小女孩告訴她：「妳說話的樣子讓我感到難過！」當這位母親從震驚中恢復後，她對於女兒的主見感到驚訝，並且對於她能夠運用忿怒以獲得尊重感到欣慰。

或許因爲這些父母能夠在孩子負面的情緒裡發現其重要性，所以當孩子忿怒、傷心、或害怕時，他們表現更多的耐心。他們似乎願意花時間與哭鬧或焦急的小孩相處，傾聽他們的煩惱，具備同理心，允許他們發洩忿怒，或單純的「大哭一場」。

當賓不安時，他的母親瑪格烈會傾聽他的訴說，她說她常常試著向他表達同理心的方法是對他講述「當我是個孩子的時候」的故事。「他愛這些故事，因爲能使他瞭解到有自己的感受是OK的。」

傑克說他配合地努力與兒子泰勒的觀點一致，尤其當孩子爲了與父親爭吵後而煩惱不安。「當我仔細傾聽泰勒的觀點時，他感到舒服多了，因爲我們可以採取他能夠接受的條件將事情解決。我們可以像兩個人一樣平等地解決雙方之間的差異，而不是像一個人和他的狗。」

情緒輔導的父母鼓勵孩子對情緒要誠實。四個女兒的母親珊蒂說：「我要孩子知道他們忿怒並不表示他們不乖或者他們必須討厭使他們生氣的人，並且我希望他們知道使他們生氣的事情也有好的一面。」

同時，珊蒂規範女兒的行爲並且嘗試教導他們以非破壞性的方式表達她們的忿怒。她希望女孩長大後互相成爲一輩子的朋友，但她知道要使之成眞，他們必須寬容相處及培養彼此之間的關係。她說：「我告訴她們對妳的姊妹惱火是OK的，但說尖酸刻薄的評語則是不對的。我說妳的家庭成員是妳何時都可以依靠信賴的人，所以妳不會想要與她們疏遠。」

這類的限制在情緒輔導的父母中很常見。他們似乎對於心理學家兼作家漢・金諾的勸言感到安慰，他說儘管所有的感覺和願望都是可被允許的，但並非所有的行為是可被允許的。因此，如果孩子表現出可能傷害自己或別人的行為時，情緒輔導的父母很可能會立刻阻止這些冒犯的行為並重新引導孩子發展較無害的活動或表達的方式。他們不會特地保護孩子而閃躲情緒激烈的狀況；他們知道為了要孩子學習調整自己的情緒，這類的經驗是必須有的。

譬如瑪格烈，她一直企圖開導四歲兒子賓的任性，他從小個性就反覆無常。如果留他自個兒在發脾氣，「他通常會磨牙、尖叫、並亂扔東西，」瑪格烈解釋：「他向弟弟發作或是摔壞玩具。」瑪格烈認為寧可教導他較好的表達感覺的方式而不是嘗試除掉賓生氣的感覺——而且那是無效的。當她發覺兒子的情緒開始高漲，她引導他去進行一些可放鬆身心的活動。她差遣他去戶外奔跑或去地窖敲打她最近為此而購買的套鼓。雖然瑪格烈對賓的脾氣很擔憂，但她說她同時也發現了他這頑固、挑剔的性格也有建設性的一面。「他不是一個輕易放棄的人。如果他不喜歡自己畫的圖，他就繼續努力，甚至會撕掉五六張紙。但當他做好後，他的挫折感就消失了。」

雖然父母在一旁看著子女與問題格鬥可能會很不安，但情緒輔導的父母不會覺得每次孩子的生活出現問題時，他們都不得不去「弄妥」。譬如珊蒂說當她告訴她四個女兒不能買下所有她們喜歡的玩具和衣服時，她們就常有怨言。珊蒂只是傾聽她們失望的心情並告訴她們感到失望是完全自然的事，而非努力地去撫慰她們。「我認爲如果她們現在就能學習處理小小的失望，將來在必要時，就能應付生命中更大的失望。」

瑪莉亞和丹也盼望他們的耐心以後會有所獲益。「十年來，我希望珍妮芙已有足夠的經驗處理這些感覺，讓自己知道該怎樣反應。」瑪莉亞說：「我希望她有自信，知道自己的感受是OK的，並且可以處理好她的問題。」

由於情緒輔導的父母看重生命中情緒的力量和用途，他們不會害怕在小孩跟前表現自己的情緒。他們傷心時能夠在孩子面前哀哭；他們會發脾氣並告訴孩子生氣的原因。大部份的時候，由於這些父母瞭解情緒並相信自己以建設性的方式表達他們的忿怒、悲哀、和恐懼，他們能夠給孩子以身作則。事實上，父母情緒的表現可以告訴子女許許多多處理情感的方法。譬如，一個小孩看到父母在激烈的爭論後又友善地解決雙方之間的不和，他會學習到一課關於衝突與和解以及親密關係的持續力量。（父母必須知道小孩子是很具體的思想家，他需要看到實際的證明——譬如熱情的擁抱——才能瞭解媽媽和爸爸眞的解決了他們的爭執。）同樣的道理，一個小孩看到父母極度的難過——譬如離婚或者祖父母的去世——可以從中學習如何處理悲傷和絕望。假如孩子難過時有扶持的、關愛的大人在一旁提供慰藉和信心，那就更正確適用。孩子學到，分享悲傷可以導致更深度的親密與結合。

當情緒輔導的父母說或做出傷害小孩的事情——當然，在每個家庭隨時隨地都會發生的——他們勇於道歉。在壓力下的父母可能沒有經過思慮就反應，像以粗魯的名字呼喊小孩或脅迫地提高他們的聲調。父母因這些行爲而懊悔，向孩子說他對不起並從事件中尋找教訓。如此，這事件又可成爲另一個親近的機會——尤其當父母願意告訴孩子，他當時的感覺並談論以後他會如何處理類似的狀況。這讓父母再一次向子女展示對付不安的感覺如內疚、懊悔、和憂傷的方法。

情緒輔導配上建設性的懲罰會有很好的作用，後者讓孩子淸楚瞭解品行不端的後果。其實，施行情緒輔導的父母可能會發覺隨著家庭對輔導模式愈來愈適應，行爲問題也逐漸減少。這種情形有許多的原因：

第一，情緒輔導的父母在孩子的情緒還不是很強烈的時候就一貫地給與反應。即是說，不必要等到情緒高漲時孩子才能獲得他所期望的關懷。在一段時間後，這些孩子明顯地意識到父母瞭解他們，對他們有同理心，並且深切地關心他們生活裡的一舉一動。他們無必要爲了感受父母的關懷而採取行動吸引注意力。

第二，如果孩子在年幼時就接受情緒輔導，他們對於自我安慰的技巧發展得很熟練，而且在壓力下可保持鎮靜，如此他們比較不太可能行爲不端。

第三，情緒輔導的父母不會反對孩子的情緒，所以磨擦較少。即是說，孩子不會因爲失望而痛哭或發洩脾氣便被譴責。但無論如何，情緒輔導的父母會立下規範，給孩子關於適當的行爲和不適當的行爲一個明確和一致的指導。當孩子瞭解規距並明白犯規的後果，他們比較不可能行爲不端了。

最後，這種養育的作風使親子間有更強的感情結合力，因此孩子對於父母的請求也會較有反應。這些小孩視父母爲他們的知己和盟友，他們願意取悅而不想使雙親失望。

有個母親敍述這種情形在她八歲女兒的一次撒謊事件中是如何產生效用。蘇珊發現在女兒蘿拉的學校作業中夾了一張惡意中傷另一個小孩的紙條。紙條上雖然沒有寫上蘿拉的名字，但顯然那是蘿拉的筆跡。當蘇珊向女兒問起此事，蘿拉閃爍其詞，硬說紙條不是她寫的，但蘇珊知識蘿拉在撒謊。這件事令蘇珊困擾了好幾天，她覺得蘿拉的天眞和她對女兒的信賴逐漸在消失。最後，她知道必須再跟女兒當面談一下，這次她把自己心中對此事的感受告訴給女兒聽。

「對於這張紙條，我知道妳是在撒謊，」蘇珊明確堅定地說：「妳讓我很失望，很傷心。我認爲妳是個誠實的人但現在卻知道妳在說謊話。我希望妳知道當妳願意告訴我眞相時，我會願意聽而且我會原諒妳。」

兩分鐘的靜默過去後，蘿拉雙眼充滿淚水嗚咽地說：「媽媽，關於那張紙條，我撒謊了。」說畢，蘇珊擁抱她，兩人好好地詳談了關於這便條的內容以及便條是寫給哪個孩子的，並且如何使蘿拉解決和那女孩的衝突。蘇珊也重覆地向女兒述說誠實對她們母女關係的重要性。蘿拉此後不再向她撒謊。

當小孩感到與父母在情緒上有結合，而父母運用這結合力幫助孩子調整他們的感受並解決問題，這時候，事情就完美解決了。如同前述，我們的研究發現有接受情緒輔導的小孩在學業成績、健康、及同輩的關係上都有較好的表現。他們比較不會有行爲上的問題，同時也較能夠自煩惱的情況中恢復。情緒智力使他們有充份的準備去處理將來的危難與挑戰。

3 情緒輔導的五項重要步驟

我記得自己首次發現如何情緒輔導可能對我的女兒莫莉亞產生作用，她當時是兩歲，那天，我們去探訪親戚後坐在回程的長途飛機上。無聊、疲倦、和古怪的莫莉亞問我要「斑馬」，那是她喜愛的布絨動物和慰藉的對象。很不幸地，我們沒注意地將這只已經很舊的動物玩偶裝入一只送入檢查櫃台的行李箱內。

「對不起，實貝，我們現在沒辦法拿到斑馬。他在飛機另一端的一只大旅行箱內。」我如此地解釋。

「我要斑馬。」她可憐地發著牢騷。

「我知道，甜心。但斑馬不在這裡。它在飛機下面的行李艙內，只有等我們下飛機後，爹才拿得到，對不起。」

「我要斑馬！我要斑馬！」她再次地呻吟。然後她開始哭喊，在她的座位上扭轉，還徒勞地要伸手去拿剛才她看到我取出小點心放在地上的一只手提袋。

「我知道妳要斑馬，」我邊說，邊感到自己的血壓在往上升。「但它不在那只袋子裡。它不在這裡而我也沒辦法。這樣吧，我們何不來讀愛克尼，」我邊說邊尋找其中一本她喜愛的圖畫書。

「不要愛克尼！」她啼哭，生氣起來。「我要斑馬。我現在就要它！」

此刻，其他旅客、空服小姐、走道對面我的老婆都投給我「想些法子」的眼神。我看著莫莉亞怒紅的臉，想像她多麼地感到失望。畢竟，我不就是那個她可以要求塗一片花生醬土司、以電視機遙控器使紫色的大恐龍出現的人嗎？爲甚麼我不給她心愛的玩具呢？難道我不明白她多麼地想要它？

我感到很難過。突然然我開竅頓悟：我無法拿到斑馬，但我可以退而求其次給她另一個美好的東西——一個父親的慰藉。

「我但願妳此刻擁有斑馬，」我對她說。

「對呀，」她傷心地回答。

「妳因爲我們沒辦法給妳斑馬而生氣。」

「對呀。」

「我但願妳此刻就擁有斑馬，」我重覆地說，她帶著好奇又幾乎是訝異的眼光盯著我。

「對呀，」她低聲地咕嚕，「我現在就要它。」

「現在妳累了，摟抱著斑馬的感覺一定很棒。我希望在這裡我們有斑馬好讓妳抱著。更好的是，我但願可以離開這些座位，找一張又大又柔軟的床，上面堆滿妳所有的動物和枕頭，讓我們可以躺下來。」

「對呀，」她同意。

「我們無法拿到斑馬，因爲它在飛機的另一處，」我說，「所以讓妳失望了。」

「對呀，」她嘆口氣說。

「我感到很難過，」我說，看著她綳緊的臉漸漸舒緩。她將頭靠在椅背休息。她繼續埋怨了幾聲，但慢慢的平靜下來。幾分鐘後就睡著了。

雖然莫莉亞只有兩歲，但她明確地知道她所要的——她的斑馬。一旦她理解到沒有可能得到它，她就不再對我的道歉、辯論、或移轉感興趣。我的驗證又是另一回事。對她來說，知道我瞭解她的感受似乎使她好過些；而對我來說，這是一個對同理心的力量所忘不了的經驗。

同理心：情緒輔導的基礎

想像一下在一個沒有同理心的家庭中成長的樣子。那是一個你父母盼望你永遠是高興、滿足和寧靜的空間，在這家中，憂傷或忿怒被看作是失敗或潛在災難的象徵。你的父母每次遇到你情緒低落時就感到焦慮。他們告訴你他們寧願看到你滿足和樂觀、「朝好的一面看」、永不埋怨、永不對任何人或任何事說壞話。而你，只是一個小孩，也就認爲你的父母是對的。你有壞情緒表示你是個壞孩子。因此你盡量達到他們的期盼。

問題是，生命中不斷地發生不如意的事使你幾乎無法維持笑臉。你的小妹妹跑到你房間毀了你一系列的漫畫書。你在學校被冤枉而你最好的朋友任你被責罵。每年你都參加科學比賽，而每回你的設計都爆炸毀了。還有那爸媽吹捧了幾個月超級棒的家庭渡假，只不過是長途的兜風，聽著媽媽對「壯觀的」景色發出驚嘆的語氣而爸爸則滔滔不絕地講論著「迷人的」歷史遺跡。

但這些事情被認爲是不會使你煩惱的。假如你將你的小妹妹喊作小混蛋，你的母親會說：

「當然你沒有那個意思！」關於學校的事件，你爹會說：「你一定做了些刺激老師的事。」至於科學比賽設計的災禍呢？「把它忘記。明年你會做得更好。」家庭渡假呢？甚至不要提起。「畢竟你老爹跟我花了多少錢帶你們這些孩子去猶他州玩……」

所以不久之後，你學會閉上你的嘴。假如在學校遇上麻煩，回家後你掛上一張笑臉逕自回房。沒有必要去驚動爸媽。他們討厭問題。

晚飯時，你爸爸問：「今天在學校過得怎樣？」

「不錯，」你心不在焉地回答。

「好，好，」他應著，「把奶油給我。」

你在這種假裝的家庭中成長到底學會甚麼呢？首先你認為自己跟父母完全不像，因為他們似乎沒有你那些難過和不舒適的感覺。你以為自己有這些感受是有問題的。你的哀傷是個缺點；你的忿怒使家庭成員感到困窘；你的恐懼阻礙了他們的前進；如果不是因為你和你的情緒，他們的世界大概就是完美的。

過一段時間後，你發現跟雙親討論你內心的世界是沒有甚麼意義的，而這使你感到孤單。但你也發現只要你裝出高興的樣子，就天下太平了。

當然，這會造成困惑——尤其在你長大後，看到愈來愈多的證據顯示生命有時候眞的是個累贅。在你生日時，你得不到想要的玩具；你最要好的朋友找到一位新的好朋友，留下你一個人孤獨地在自助餐館內排隊。你裝了齒列矯正器成了大鋼牙。疼你的祖母過世了。

然而，你被認爲不應該有這些難過的感受，因此，你成爲掩飾自己的大師。更成功的是盡量不要有感覺。你學會閃躲引致衝突、忿怒、及痛苦的場面。即是說，你遠離避開人類密切的結合。

通常，否認自己的情緒並不簡單，但卻能做得到的。你是在分散情緒和轉移注意力中發展長大的。進食偶爾可以幫助平息不安的感覺。電視與電動遊戲是忘記煩惱的好法子。再過幾年，你就長大可以熟習地掌握一些分散心神的技巧。現階段，你盡力裝扮笑臉、使你的雙親滿足、讓一切都在控制之下。

但如果情況不是如此呢？假如你生長在一個以同理心的瞭解作爲首要的目標而不是追求表面的快樂的家庭，又會是怎樣？想像你的父母在問：「你還好嗎？」的時候，他們眞的想知道事情的眞相。你或許每次不會被迫回答：「還好。」，因爲你知道如果你回答：「我今天好慘。」他們不會亂做結論，也不會假設每個問題都是一個災難等著他們去修補解決。他們只會單純地傾聽你接下來要說的話，而且會盡力去瞭解及幫助你。

假如你說你在學校跟夥伴發生爭執，你母親或許會問你發生的原因，你的感受，以及她是否能夠幫你找出解決的辦法。假如你跟老師有誤會，你的父母不會自動地站在老師那一方；他們會仔細地聽你敍述故事並相信你，因為他們認為你是誠實的。假如你的科學設計泡湯了，你爸爸會告訴你他小時候也有類似的經驗：他明白站在教室前、面對嘶嘶冒煙該死的設計時，那種膽怯的感受。假如你的小妹妹毀壞了你一系列的漫畫書，你媽媽會摟著你說：「我明白你為何如此忿怒。你很在乎這些書，這麼多年還一直收集著。」

很可能，你就不會感到太凄涼。不論發生任何事，你感到父母都會支持你，他們可以讓你依靠，因為你知道他們瞭解你的內心。

在最基本的形式上，同理心是感覺別人之情緒的能力。作為有同理心的父母，我們看到孩子在流淚時，就能設身處地想像他們的處境並感受他們的悲痛。看到孩子生氣地跺脚，我們能感受他們的受挫與忿怒。

如果我們可以向孩子傳達這類親密的情緒瞭解，即是相信他們的體驗並幫助他們學習慰藉自己。這技巧使我們處在如江河的筏夫所謂的「滑行」。不論與孩子的關係中有多少的暗礁或急喘，我們都能待在河流上，引導他們向前進。甚至當這過程變得極端叛逆（像是在青春期就經常如此），我們也能幫助孩子渡過障礙和危機，尋找他們的方向。

同理心為何有這般的威力？我認為是由於它讓孩子視父母為盟友。

想像一下當八歲的威廉從後院垂頭喪氣地回來，因為隔壁的小孩拒絕跟他玩耍。他的爸爸鮑勃從報紙中抬起頭，短短地說：「又是這樣！威廉，你看你，現在已是個大男生，不是小嬰兒。不要因為每次人家對你冷淡就難過不安。你就把它忘記，找個同學打電話聊聊天；讀書；或者看電視。」

通常，由於孩子相信父母的意見，因此威廉很可能會想：「爹是對的。我表現得像個嬰孩似的。所以隔壁的男孩不想跟我玩耍。我懷疑自己甚麼地方不對勁。為何我不能像爹說的一樣忘了它呢？我是如此地糟糕，沒人願意做我的朋友。」

現在想像假如威廉的父親在他進屋時的反應不同，威廉會有怎樣的感受。譬如，鮑勃放下手中的報紙，看著兒子說：「威廉，你看來有點難過。告訴我發生甚麼事情了。」

假如鮑勃傾聽——真的打開心胸傾聽——或許威廉對自己會有不同的判斷。這段對話繼續下去可能是如此：

威廉：湯姆和派屈克不讓我跟他們玩藍球。

鮑勃：我敢說那讓你傷心透了。

威廉：對呀。也讓我火大。

鮑勃：我看得出來。

威廉：沒有道理我不能跟他們打藍球。

鮑勃：你跟他們談過這事嗎？

威廉：才不呢。我不要。

鮑勃：那你想做甚麼呢？

威廉：我不知道。或許我把它忘記算了。

鮑勃：你認為那是個比較好的主意嗎？

威廉：對呀，因為明天他們大概會改變主意。我想我會找個同學打電話聊聊天；或者讀書；我可能會看一會兒電視。

當然，差別就在於同理心。在這兩幕裡，鮑勃都是關心兒子的感受。或許長期以來，他對於威廉因同伴的排斥「反應過敏」而憂慮；他希望兒子變得較堅強。可是，在第一幕裡，鮑勃犯了一個常見的錯誤，讓他自己對威廉的期盼成了絆腳石。他以批評代替了同理心，他發表了短短的演說，提供未經請求的勸言。結果，他一番好意的努力都失敗了。威廉帶著更難過的心情離去，進一步地被誤解，比以往更像一個「懦夫」。

相對地，第二幕裡，鮑勃花時間傾聽兒子，清楚地表示他瞭解威廉的感受。這讓威廉感到更有慰藉，更有自信。最後，雖然威廉自己找到的答案跟他父親可能提供的是一樣的（另外找一個夥伴；去讀書等等），但這是他自己尋出的解答，他可以帶著完好的自尊，更堅強地離去。

這是同理心運作的方式。當我們企圖去瞭解孩子的體驗，他們會感到有股支持的力量，知道我們在他們的身旁。如果我們不去批評他們，不輕視他們的情緒，不嘗試轉移他們的意向，孩子就會讓我們進入他們的世界。他們告訴我們他們有怎樣的感覺，提供自己的意見，他們的動機變得較單純，也就有更進一步的瞭解。我們的小孩漸漸相信我們，然後當爆發衝突時，我們有共同的立場一起解決問題。他們甚至可能會和我們一起動腦筋解決問題。說實在，有那麼一天他們會願意聽我們的意見！

我對同理心這個概念的解說聽來似乎很簡單，但事實上它眞的如此。同理心就是將自己設身處地在孩子的身上並加以反應。所謂知易行難，不要以爲同理心的概念簡單，實行起來並不容易。

在以下這幾頁，你會讀到關於情緒輔導的五個步驟，父母一般在與孩子的關係中使用它們來建立同理心，以提高他們的情緒智力。如在第一章所述，這些步驟包括：

(1)察覺到孩子的情緒。

(2)認識到情緒是親近或教導的一個機會。

(3)具備同理心去傾聽並肯定孩子的感受。

(4)口頭上將情緒描述。

(5)設規範並幫助孩子解決疑難。

我也附加了一些額外有關情緒輔導的策略，同時對於不適合實施情緒輔導的家庭狀況亦加以描寫。除此之外，下面包括了兩項自我的測驗——一個評估你對情緒的察覺度，另一個則測試你情緒輔導的技巧。

步驟一：察覺情緒

我們的研究發現要父母感受到孩子的感情，他們必須先能在自己身上，然後再在小孩身上察覺情緒。但是「情緒的察覺」到底表示甚麼呢？它是否意謂「敞懷坦白？」放鬆戒心？公開不久前你掩飾自己的那部份？假如如此，天生保守或自制的父親可能懷疑他們自初中時一直嚮往達到的那種又酷又男子氣的形象到底會變成怎樣？他們是否看完迪斯耐的電影就要淚流成河，是否在足球賽後跟其他的老爹相擁？那些在壓力下仍努力地表現出耐心與仁慈的母親可能也會憂慮。當你專注在怨恨或忿怒的情緒時會怎樣？你是否要對小孩不斷地嘮叨、埋怨、和發怒？你會否失去他們對你的愛與忠誠？

事實上，我們的研究顯示人是可以有情緒上的察覺——因此對於情緒輔導就有了充份的準備——卻沒有過份情緒的表現，也沒有「失控」的感覺。情緒的察覺僅僅表示你察知自己感到一種情緒時你可以有所識別，而你對於其他人產生的情緒也是敏感的。

●性別如何影響情緒的察覺

一個人對慰藉表達的情緒有部份是受文化因素的影響。交叉文化的研究證明，譬如，意大利人或拉丁美洲的人一般在表面上都比較熱情，而日本人或北歐的人則比較羞怯和自制的。然而，如此的文化差別並不會影響一個人感受的能力。那些對情愛、忿怒、或悲傷之表達不明顯的人，並不代表他們內心沒有這樣的體驗，也不代表他們無能力去洞悉及回應別人這樣的情緒。理所當然地，任何文化背景的人都有能力去感應孩子的情感。

美國的男性生長在一個不鼓勵他們表現情緒的文化裡。雖然普遍的神話都將男性塑成冷酷粗暴的角色，忽視他們伴侶或孩子的情感，但是心理學的研究卻另有一番說詞。在我們及其他研究所的實驗室內進行的研究發現儘管男女表達情緒的方式有別，但他們經歷的感受相去不遠。

爲了要找出一種性別是否比另一種較具同理心，我和同事將夫妻討論有關婚姻的衝突做了錄影紀錄。然後我們請每位伴侶重溫他們的帶子並憑著記憶，告訴我們對話當時他們的感覺。爲了紀錄他們的反應，我們使用一個有刻度的轉盤，情緒狀況的評估是由負到正。譬如，當他們看到一段記得當時的感覺是悲哀或忿怒的，他們就將轉盤扭向「負的」；而當他們看到使他們高興的段落，他們就扭向「正的」。然後，我們再將帶子重放一遍，請他們對於配偶在相同的對話中所有的感覺做評估。將兩組的評估比較，我們能夠知道每位伴侶察覺對方的情緒經歷的準確度。出乎意料地我們發現丈夫洞悉配偶的跟妻子是同樣的熟練。當我們邀請第三者來看這些帶子並做評估，我們發現男性或女性的外人對於探究別人情緒的反應也同樣的熟練。此外，我們發現那些最能夠準確地接收別人情緒的人，他們產生的生理反應酷似他們所觀察的人的反應。即是說，當帶子內的對象由於忿怒而心跳加速，最具有同理心的觀察者會體驗到相似的心跳加速。至於觀察者是男或女並不重要；能接收別人情緒的男女參與者均有同理心引致的類似生理反應。

如果男性跟女性一樣能夠對情緒有同理心和反應力，那麼爲何人們如此普遍地認爲男性是冷酷的？答案顯而易見。如果男性和女性有相似的內心感受，男性較傾向於掩飾情緒不向外表露。我們的研究發現女性比較可以無約束地用語言文字、臉部表情、及肢體語言來表達她們的感覺。而男性則比較可能會克制、掩飾、及忽視他們的感覺。

有一個理論認爲男性這種做法是由於他們爲了適應社會需要變得堅強，並對於「失控」的後果，小心翼翼。確實，有些男性裝出如此扭曲的男性防禦意識以致他們完全將自己隔離在任何情緒經驗的認知之外。我相信這種極端的案例代表了男性人口中的一小部份——或許少於百分之十吧。

雖然不願意面對情緒嚴重影響男性的家庭關係，但它不會剝奪男性成爲一位好的情緒教練的資格。調查顯示男性的內在擁有這一切：他們在內心能察覺自己的感覺；有認知及回應孩子情緒的能力；有具備同理心的能力。對於大多數男性而言，要變得能察覺情緒不是學習這技巧的問題；而是要允許自己體驗原本就存在的感情。

●當父母感到失去控制時

那些害怕對負面情緒如，忿怒、哀傷、及恐懼失控的父母來說，允許自己去感受可能是很受爭論的問題。這些家長尤其不敢承認自己的忿怒乃害怕事情不受控制。他們或許怕因此而與子女疏遠或以爲孩子會模仿他們發洩情緒的方式，而變得情緒失控。這種父母也可能會害怕對孩子造成身體上或精神上的傷害。

在我們的研究裡，那些感到情緒失控的父母一般表現有下列一個或超過一個的特徵：

- ●他們經常有忿怒、憂傷、或恐懼的情緒。
- ●他們認爲自己的感受過於激烈。
- ●在體驗了激烈的感覺後，他們要平靜下來是有困難的。

●他們發洩情緒時會變得混亂，使正常的運作有麻煩。
●他們討厭自己發洩情緒時的行爲。
●他們常常對情緒有所「提防」。
●他們發現自己「表現」得很正常（平靜、有瞭解、有同理心）。但那只是在演戲。
●他們相信感情是極之具有破壞性的，甚至是不道德的。
●他們以爲自己在情緒方面是需要幫助的。

這樣的父母爲了要掩飾自己對失控的恐懼而裝出一副「超級父母」的樣子，對小孩隱藏他們的情緒。(他們可能對自己的配偶發洩許多的忿怒，但是他們的小孩卻很可能會親眼目睹這些局面。）爲了嘗試去掩飾他們的忿怒，這些家長常常不理會或放棄與小孩共渡情緒的時刻。諷刺的是，這些隱藏情緒的家長，比那些懂得讓孩子以適當的方式表現情緒的家長，可能養育出更沒有能力處理負面情緒的年輕人。這是因爲小孩成長過程裡與父母在情感上是疏遠的，同時他們也少了一個教導他們如何有效地應對難熬的情緒的榜樣。

蘇菲是其中的一個例子，她是我在養育小組內認識的一位女士。由於父母是酒鬼，從小就跟在那種環境中的人一樣受著卑微的自尊所折磨。蘇菲變成十分虔誠的教徒，她相信唯有透過某種的殉難及無限的仁慈，才得以超越她自己的教養並成爲一位「好的父母」。可是，持續的自我否定常令她在憤慨與失意的邊緣掙扎。每次，她都嘗試平息這些情緒並怪責自己的自私。但她永遠無法完全清除這種「自私的」感覺。由於壓力，有時候她「一發不可收拾」地對孩子變得異常粗暴，無理地處罰他們。她說：「我知道發脾氣對他們是不好的，但我不知道該如何停止。就好像我有兩個排檔——溫柔的和暴躁的——而我卻無法控制開關。」

直到蘇菲的兒子在學校惹上麻煩，她被通知去接受輔導，她才逐漸瞭解自己對情緒所抱持的態度反而害了孩子。她向來都否認自己的感覺，對於一些家庭自然會遇到的負面情緒如忿怒、怨恨、和妒嫉，也無法給孩子任何處理情緒的模範。然而，要改變她的方式也不是那麼簡單。她要學習有意識地去注意那些曾經被她認爲是「自我中心」或「自戀的」甚至是「有罪的」思緒和感覺。如此，她現在已經可以在崩潰而失控前料理自己的需求。她也慢慢瞭解，接觸自己負面的情緒可以幫助她成爲一位在孩子忿怒、傷心或害怕時較好的導師。「有點像是飛機上給人看的安全說明書，」她解釋：「首先你必須爲自己帶上安全氧氣罩才能去幫助你的小孩。」

那些害怕失控的父母，對於情緒問題，到底要做些甚麼才會感到較能夠跟孩子一起參與呢？首先記得，假如孩子做了些讓你氣瘋的事，發脾氣是OK的。重點是你發洩的方式不會破壞你倆的關係。如此，你表明了兩件事：一、強烈的感情是可以表達的而且是可以控制的；二、你的確在乎你孩子的行為。只要你以尊敬的態度去溝通，你可以運用你的忿怒表示熱情與真誠。我們研究發現最好避免使用諷刺、侮辱、及損人格的評語對待你的小孩，這些與造成兒童自尊低落有關。也最好專注於你小孩的行為而不是他的個性。你的評語要明確並告訴他他的行為如何地影響你。

除此之外，你能察覺情緒受激勵的不同程度也有幫助。如果你知道自己氣炸了，但你能夠繼續理性地與孩子說話，達到某種程度的瞭解，那就繼續下去。告訴孩子你的想法，傾聽他的回應，並繼續交談。相對的，假如你發現自己極端盛怒以致無法冷靜地思考，就將局面暫停，待你感到較平靜時再重新討論。當父母覺得自己瀕臨要做或說些具傷害性的事情，譬如毆打或侮辱孩子的邊緣時，也必須退避。打巴掌、諷刺、侮辱、或損人格的評語、或輕蔑的表情一定要避免。(關於毆打，請參閱第一一一頁。) 與其毆打孩子或對他們說出傷害性的批評，家長應該稍作休息，答應在他們情緒較穩定後，就會回來討論。

假如你感覺自己會對孩子在身體或心理上做出嚴重傷害的危險時，你就應該尋找專業的輔導。保健中心或當地的生命線會爲你提供轉診服務。

最後，那些害怕失控的父母，最好記住寬恕的治療力量。父母偶爾都會犯錯，對孩子發脾氣，說或做了令自己後來懊悔的事情。打從四歲開始，小孩就能夠明白「對不起」的概念。因此，不要錯過良機，感到後悔時趕緊「彌補」上回的互動關係。把你對事件發生時及發生後的感受告訴孩子。對他們而言，這可能就是處理懊悔和哀傷的情緒的一個正面例子。或許你的孩子甚至會靈機一動，幫你找出有助於讓雙方避免往後的誤會和衝突的法子。

小孩一般都是渴望來自父母的親近和溫暖。他們最關心的是恢復雙方之間的關係。他們給父母無數第二次的機會。總之，這樣的寬恕是雙向的。在允許孩子偶爾鬧情緒的家庭裡，父母也公開地原諒他們的孩子，這種情形最能發揮寬恕的功用。

雖然要建立情緒察覺可能是一輩子的事，但家長或許馬上從新的洞察中看到正面的結果。一位終於允許自己發脾氣的母親也比較會讓自己的兒子擁有相同的感覺。當一位父親肯承認自己的悲哀，他就更能夠傾聽兒子或女兒傷心的訴求。

●情緒察覺自我測驗

接下來的測驗是幫助你反省自己的情緒生活，你如何允許自己去體驗忿怒和哀傷，以及你對一般情緒的感覺如何。答案沒有分對或錯，但是最後的得分幫助你衡量自己情緒察覺的程度。這方面的瞭解能夠使你洞悉你對別人，尤其是對自己小孩的情緒所作反應的原因。

●忿怒

首先來看看你最近這幾星期的生活。想一些讓你受挫、受刺激、或生氣的壓力事件。也想一些在你生活裡，似乎對你表示不耐煩、失意、忿怒、或苦惱的人。想想在面對別人或自己這些忿怒、具壓力的情緒時，你自己的想法、意象、及基本的感覺。

閱讀以下每一項聲明，它們都是來自我們研究組裡的對象。看私底下你有幾分是贊同他們的，再圈出最合適你的答案。

T＝對；F＝錯；DK＝不知道（列表1）

1. 我覺得有許多不同種類的忿怒。T　F　DK
2. 我不是平靜就是氣瘋了，沒有介乎兩者之間的。T　F　DK
3. 我只要是一點點的煩躁，別人都看得出來。T　F　DK
4. 我能夠老早在發怒前，就知道自己是有不爽或暴躁的感覺。T　F　DK
5. 就算是很微小的徵兆，我都能察覺別人的忿怒。T　F　DK

6.忿怒是有毒害的。T F DK

7.當我忿怒時，我感到自己像是在嘴裡嚼一些東西，咬牙切齒似的。T F DK

8.我能夠在肉體上感到忿怒的跡象。T F DK

9.感覺是私人的，我嘗試不去表達它們。T F DK

10.我對忿怒的經驗是感到身體逐漸發熱。T F DK

11.對我來說，感覺忿怒有如積聚增加的蒸氣，壓力愈來愈大。T F DK

12.對我來說，發怒有如吹散蒸氣，釋放壓力。T F DK

13.對我來說，發怒有如持續不停地增加壓力。T F DK

14.發怒讓我感到自己快要失控。T F DK

15.當我生氣時就是告訴別人我不是可以被擺佈的。T F DK

16.忿怒是我達到嚴肅堅定的方法。T F DK

17.忿怒賜給我力量；它是處理事情的動機，不讓自己被擊敗。T F DK

18.我壓抑忿怒並將之藏在心內。T F DK

19.我的觀點是，假如你壓抑忿怒，你會招引災害。T F DK

20. 我的看法是，忿怒是自然的，就像淸喉嚨一樣。T F D K
21. 對我而言，忿怒像一些東西著了火，像要爆炸似的。T F D K
22. 忿怒，如一把火，能夠將你呑蝕。T F D K
23. 我安然渡過忿怒，直到它消退。T F D K
24. 我視忿怒爲一種破壞。T F D K
25. 我視忿怒爲野蠻的。T F D K
26. 我視忿怒爲具有消滅性的。T F D K
27. 對我而言，忿怒與侵略沒有多大的差別。T F D K
28. 我認爲孩子的忿怒是惡劣的並且應該受到處罰。T F D K
29. 忿怒的能量必須散發至某處，你最好將它表達出來。T F D K
30. 忿怒賜給你魄力、能量。T F D K
31. 對我而言，忿怒與傷害是相隨的。我生氣，是因爲我受到傷害。T F D K
32. 對我而言，忿怒與恐懼是相隨的。我生氣，是因爲我內心缺乏安全感。T F D K
33. 當你發怒時，你將自己處於一個像是掌握力量的地位，你覺得在維護自己。T F D K

34.忿怒大半是不耐煩。T　F　D　K

35.我處理忿怒的方法是讓時間把它沖走。T　F　D　K

36.對我而言，忿怒表示無助與沮喪。T　F　D　K

37.我隱藏自己的忿怒。T　F　D　K

38.讓人家看到你在發脾氣是很丟臉的事。T　F　D　K

39.如果忿怒是在控制之下，那就OK。T　F　D　K

40.我敢說人們發怒時，就像將廢棄物扔在別人身上似的。T　F　D　K

41.要除去忿怒，就像是從體內排掉一些令人十分討厭的東西。T　F　D　K

42.我覺得情緒的表達令人困窘。T　F　D　K

43.假如這個人健康，他是不會發怒的。T　F　D　K

44.忿怒意味著交戰或接觸。T　F　D　K

●憂傷

現在想想近來你感到難過、鬱鬱不樂、或被排斥的時候。想一些在你生活裡表現哀傷、沮喪、或憂鬱的人。當你憶起你或別人在表達這些傷心的時刻時，你有甚麼想法、意象、或

基本的感覺？閱讀以下每一項關於憂傷的聲明，再圈出最能夠描述你反應的答案。**（列表2）**

1. 大體而言，我會認爲憂傷是有毒害的。T F D K
2. 哀傷像疾病一樣，要從中恢復就如同疾病後痊癒似的。T F D K
3. 當我難過時，我想獨自一人。T F D K
4. 我感到許多種類的憂傷。T F D K
5. 就算自己只有一點點的傷心，我都能察覺出來。T F D K
6. 就算別人只有一點點的憂鬱，我都能察覺出來。T F D K
7. 我的身體淸楚明確地警告我今天不會好過。T F D K
8. 我認爲憂傷是有利益的，它讓你曉得要放慢腳步。T F D K
9. 我覺得憂傷對你是好的，它能告訴你甚麼是你生命中所缺乏的。T F D K
10. 憂傷本來就是失落感及傷感的一部份。T F D K
11. 假如憂傷迅速結束，那就OK。T F D K
12. 傾聽憂傷可以淨化人心。T F D K
13. 憂傷是無用的。T F D K

14.「好好地痛哭一場」是沒有根據的。T F D K
15. 憂傷不應該隨便浪費在芝麻綠豆的事上。T F D K
16. 憂傷有存在的道理。T F D K
17. 憂傷代表懦弱。T F D K
18. 憂傷表示你有感覺有同理心。T F D K
19. 感到悲哀即是感到無助和／或絕望。T F D K
20. 假如你感到憂傷，找人交談是無用的。T F D K
21. 我有時候會好好地痛哭一場。T F D K
22. 感到悲哀讓我害怕。T F D K
23. 向別人表示你難過代表著失去控制。T F D K
24. 如果你能夠一直加以掌控，憂傷可以是一種享受。T F D K
25. 最好勿向別人表示你的憂傷。T F D K
26. 憂傷就像是被蹂躪似的。T F D K
27. 人們憂傷時應該要獨處，像隔離似的。T F D K

28.裝作快樂是憂傷的解藥。T F D K

29.經過足夠的思慮，一種情緒可以被轉換成另外一種。T F D K

30.我嘗試儘快自悲哀中恢復過來。T F D K

31.憂傷使你反省。T F D K

32.孩子的憂傷反映出負面的人格。T F D K

33.最好是完全不對孩子的哀傷做出反應。T F D K

34.有時候當我難過時，我只感到對自己的嫌惡。T F D K

35.我的看法是，情緒一直都存在著；它們是生命的一部份。T F D K

36.在控制之下的情緒是表示樂觀、積極，而不是哀愁的。T F D K

37.感覺是私人的，不是公衆的。T F D K

38.假如你對孩子發洩情緒，你很可能會失控並變得濫用感情。T F D K

39.生命中，最好不要沉迷在負面的情緒內過久；只要強調積極的情緒即可。T F D K

40.要克服負面的情緒，只要繼續例行的過著日子即可。T F D K

●得分

察覺忿怒及悲哀的人是以不同的態度來討論這些情緒。他們能夠輕易地在自己及別人身上發現這些情緒。他們能體驗這些情緒的種種強弱程度，而他們也允許這些感受成爲他們生活中的一部份。這些人比其他情緒察覺較差的人，較有可能觀察出孩子細微、不強烈的忿怒或憂傷的表達，並有所反應。

你會對一種情緒的察覺力強，而對另一種弱嗎？這是有可能的。察覺力不是單次元的，並且會隨時間而轉變。

忿怒：要計算你的忿怒績分，將你在以下列表＃1內的題目說「對」的次數總合後，減去你在列表＃2內的題目說「對」的次數的總合。得分愈高表示你的察覺力愈強。

列表＃1：

1, 3, 4, 5, 7, 8, 10, 11, 12, 15, 16, 17, 19, 20, 27, 29, 30, 31, 32, 33, 44

列表＃2：

2, 6, 9, 13, 14, 18, 21, 22, 23, 24, 25, 26, 28, 34, 35, 36, 37, 38, 39, 40

假如你回答DK（不知道）超過十次，你可能需要下功夫使自己變得更能夠察覺本身和別人的忿怒。

憂傷：要計算你的憂傷績分，將你在以下列表＃1內的題目說「對」的次數總合後，減去你在列表＃2內的題目說「對」的次數的總合。得分愈高表示你的察覺力愈強。

列表＃1：

4, 5, 6, 7, 8, 9, 10, 12, 16, 18, 21, 24, 25, 31

列表＃2：

1, 2, 3, 11, 13, 14, 15, 17, 19, 20, 22, 23, 27, 28, 29, 30, 32, 33, 34, 36, 37, 38, 39, 40

假如你回答DK（不知道）超過十次，你可能需要下功夫使自己變得更能夠察覺本身和別人的憂傷。

●情緒自我察覺的秘訣

做完這項測驗，你可能發覺想要對自己的情緒生活展開更深入的認識。一般開發你的感覺的方法包括冥想沉思、祈禱、寫日記、及其他藝術的表達形式如，演奏一種樂器或者畫畫。記得要建立更強的情緒察覺是需要一點獨處，那是當今忙碌的家長常缺乏的。可是，如果你提醒自己，獨處的時間可以幫助你成爲一個較好的父母，那就不會看來好像是很縱容的事。夫妻可能偶爾想要輪流獨自去晨運或週末靜修。單親父母或許可以互相交替照顧孩子以換取相同的目的。

保持一份「情緒紀錄簿」也是能使你變得對每一刻的情緒有更多的察覺的一個很棒的方法。以下是追蹤各種情緒發生一週的清單。這樣的紀錄簿幫助你變得對激發你情緒的事件或思慮以及你對它們反應的方式有更多的察覺。譬如，你記得最近哭或發脾氣的時候嗎？導火線是甚麼呢？你對有這情緒的感覺如何？之後你感到輕鬆抑或羞恥？其他人是否察覺你有這些情緒？你有跟任何人談起這件事嗎？這些是你在情緒紀錄簿內可以紀錄的事情。你也可以利用這本紀錄簿記下你對其他人，尤其是你小孩的情緒的反應。每次發現孩子忿怒、傷心、或恐懼時，你就可以記下自己的反應。

情緒紀錄簿對那些害怕或擔憂自己情緒反應的人也有幫助。因為標示情緒及將它寫下來的過程中能幫助人們對這感覺下定義並控制它。曾經看來神秘而不受抵制的情緒突然有限制和範圍了。我們的感覺變得有管理而且不再令人恐懼。

當你寫情緒紀錄簿時，注意你的感受引發的思考、意像、及語言表達的方式。尋找你用來描述自己感覺的隱喻中的含意。譬如，你是否有時候視你的忿怒或孩子的忿怒是具有破壞性或爆發性，而因此感到令人恐懼？或者你是否較可能意識到忿怒是具有力量的、淨化的及有魄力的？關於你接受和處理生活中負面情緒的意願，這些描述透露了什麼訊息？對於你想要改變的情緒，你有甚麼看法或認識？

●情緒紀錄簿

愉快	
鍾愛	
興趣	
興奮	
驕傲渴望	
愛	
被愛	
感謝	
壓力	

傷害	
悲哀	
苦惱	
生氣	
憐憫	
厭惡	
內疚	
妒忌	
懊悔	
羞愧	

●察覺小孩的情緒

察覺自己情緒的父母可以運用他們的敏感性與孩子的感情——無論多麼的難解或強烈——做協調。不過，作爲一個敏感、察覺情緒的人，並不一定代表你對孩子的感受會覺得易於瞭解。小孩常常間接地表達他們的情緒，而採用的方法令大人感到迷惑。無論如何，只要我們放開心胸仔細傾聽，我們通常都能夠解讀孩子在互動時、嬉戲中、每日的行爲裡無意識地隱藏著的訊息。

在我們養育組內的一位父親大衛，敍述他七歲的女兒如何在一次事件中令他瞭解她忿怒的根源並向他表示她的需求。凱莉那一整天心情低沉，他解釋那是因爲與她四歲的弟弟吵架後，對於所有想像的侮辱都發怒，包括典型的：「占美又在瞪著我看！」每次的互動關係，凱莉都將占美當成壞蛋，雖然占美看來並沒做錯事。大衛問凱莉爲何她對順從的弟弟如此生氣，但他的問題只換來她的靜默無語和眼淚。他探問愈深入，凱莉就變得更被動。

到了晚上，大衛進去凱莉的房間幫她準備就寢時，她又開始鬧彆扭。他打開衣櫃找她的睡衣時，發現只有一套乾淨的、褲脚縫密的舊睡衣。「妳認爲這件適合穿嗎？」他帶著一絲微笑問，同時把它來提起讓他瘦高的女兒看。大衛找來一把剪刀，兩人一起把密合的褲管裁去，讓她穿上。「我眞不敢相信妳長得這樣快，」他對她說：「妳就要變成一個高大的女孩囉。」

五分鐘後，凱莉和家人一起在廚房吃睡前點心。「她看來就像是另一個小孩，」大衛回憶著說。她變得很興奮、活潑。她甚至還跟占美說了個笑話。

「在這睡衣事件中發生了一些事情，但我不確定是甚麼，」大衛告訴其他的家長。經過組內輪番的討論，他得到一個比較清楚的答案。凱莉這樣一個嚴肅、敏感的小孩一直很妒忌性情快樂、和藹的占美。尤其在那天，由於相同的原因，她可能需要再次的保證自己在家中的特殊地位。或許她想知道大衛愛她的方式跟愛占美的方式是不同的，又或許她父親親切地承認她的快速長大正是她所要的。

重點在於孩子——跟所有人一樣——他們的情緒都是有原因的，不論他們是否能夠清晰地表達出這些原因。每當我們發現孩子為了些看似不合理的事件發怒或不安，如果退一步看看他們整體的生活狀況，可能會幫助解決問題。一個三歲的孩子不可能告訴妳：「媽咪，對不起，我最近太煩躁了。那只是因為自從去了新的日間托兒所後，我有許多的壓力。」一個八歲的孩子大概不會告訴妳：「當我聽到妳跟爹為了錢在爭吵時，我覺得好緊張。」但事實上，這可能真的就是他的感受。

在大約七歲和更小的孩子中，常常在幻想的遊戲中展露出感覺的提示。假裝的遊戲，利用不同的角色、場景、及道具，可以讓孩子確實地表現種種的情緒。我記得自己的女兒莫莉亞，在她四歲時，用她的芭比娃娃應用方法。她在浴盆內邊玩弄著娃娃邊告訴我：「當你發怒的時候，芭比眞的好害怕。」這是她開始我倆之間重大問題對話的一貫作風，談的都是關於使我忿怒的事情；當我生氣時，我的聲調多麼高；以及那使她有怎樣的感覺。有這機會暢談是可喜的，我向芭比娃娃（和我的女兒）保證，我不是想驚嚇她，而我偶爾的發脾氣並不代表我不愛她。由於莫莉亞是以芭比的身份交談，所以我直接向芭比說話並安撫她。我認爲如此可讓莫莉亞較容易繼續談關於在我生氣時她的感受。

並非孩子所有的訊息都像這樣易於解讀。不過，透過嬉戲，他們一般都會反映表達對嚴肅的主題如遺棄、疾病、傷害、或死亡的恐懼。（孩子喜歡假裝他們有超人的力量並不奇怪。）警覺的家長能夠從孩子遊戲中表達的恐懼而獲得提示。隨後，他們可以將這些恐懼提出討論並讓孩子得到慰藉。

孩子情緒上不安的徵兆亦會在行爲上表現出來，譬如過量進食、胃口差、惡夢、頭痛或胃痛。已經訓練會上洗手間的孩子，或許突然又開始尿床等等。

假如你覺得孩子似乎正在憂傷、忿怒、或恐懼，嘗試設身處地從他們的觀點看看這世界，這樣會有幫助的。要實際行動可能比光聽來得更有挑戰性，尤其當你自認擁有許多豐富的人生經驗。譬如，當一隻寵物去世時，你知道悲傷會隨時間而逝，但一個孩子第一次體驗這種感情時，由於強烈的感受，會比你更感到不勝負荷。雖然你無法排除你倆之間經歷的懸殊，但你可以嘗試記住孩子是從一個鮮嫩、青澀、較易受傷的觀點來面對生命。

當你感到自己的內心與孩子結合；當你知道自己感覺到孩子的感受，你就體驗了同理心，亦即情緒輔導的基礎。假如你可以在這種情緒下與孩子相處——就算有時候這感覺可能是難熬的或不舒適的——你就可以採取下一步，認識到情緒產生的時刻是建立信賴及提供指導的一個機會。

步驟二：認可情緒是親近及教導的一個機會

在中文裡，「危機」一字代表著「危機」與「轉機」。將這個字的兩個概念拿來形容父母的角色是最適合不過的。不論這「危機」是一只破碎的汽球、一張退步的數學成績、或是一個背叛的朋友，這些負面的經驗都可以作爲實行同理心、與孩子建立親密關係、以及教導他們處理自己情緒的一個良機。

對於許多家長來說，認識到孩子負面的情緒是親近與教導的機會，讓他們感到一種慰藉，一種解脫，一種「鬆一口氣」。我們可以視孩子的忿怒為別的東西而非對我們權力的一種挑戰。孩子的恐懼不再是父母無能的證據，而他們的悲傷不一定表示我們「今天又多一樣被搞砸的事情要我來料理。」

研究組裡一位情緒輔導的父親反覆地述說一個概念，一個小孩傷心或生氣或害怕時，最需要他的父母。具備安撫一個不安的小孩的能力，大概讓我們「感到最像一位父母」。透過認可孩子的情緒，我們幫助他們學習慰藉自己的技巧，足以享用一生。

雖然一些家長嘗試忽視小孩負面的感受，希望這些情緒會消散，但其實並不然。相反地，在孩子論及他們的感受，認識它們，並有被瞭解的感覺時，這些負面的感受就會消散。因此，在情緒未上升到要爆發的危險前，趁早認可這些微弱的感覺是有意義的。假如你五歲的孩子對於要去看牙醫似乎很緊張，你最好在前一天先行探討這恐懼，而不要等到孩子坐在牙醫診療室的椅子上大發脾氣。假如你十二歲的孩子妒忌他的好朋友得到你兒子一直渴望進入棒球隊的機會，你最好引導他討論他的感受，而不是讓這兩個孩子在往後的兩週內不停地爭吵。

在情緒未增強前認可它們也給家人一個風險較小的機會去練習傾聽和解決問題的技巧。如果你對孩子摔壞的玩具或輕微的擦傷表示關注與擔心，這些經歷就是發展關係的基礎。你的小孩知道你是他的盟友，並且與你一起想出如何合作相處。然後當發生大事時，你倆有著充份的準備就能共同去面對考驗。

步驟三：以同理心去傾聽並肯定孩子的感受

一旦你瞭解情緒產生時的處境正是建立親近及教導解決問題的機會，大概你就已經準備好，可以接受情緒輔導過程中最重要的一步：以同理心去傾聽。

在這種情況下，傾聽不單只指以雙耳搜集資料。同理心的傾聽者更利用雙眼去觀察孩子情緒的身體證據。他們運用想像力從孩子身上透視整個狀況，他們用語言以安撫的、非批評的方式反映他們所聽到的，並幫孩子認識自己的情緒。但最重要的是，他們用內心眞正地去感覺孩子的感受。

要與孩子的情緒一致，你需要專注於他的肢體語言、臉部表情、和手勢。當然，你以前已看過深鎖的雙眉、緊咬的牙關、或者煩躁的跺腳。你從其中得知孩子有什麼樣的感覺？記住，你的孩子也能夠洞悉你的肢體語言。假如你的目的是要以輕鬆體貼的態度交談，就採取一個表明此種態度的姿勢。坐在跟他同高度的位置，深吸一口氣，放鬆自己，同時集中精神。你的專注使孩子瞭解你很認眞地對待他的事並且你願意花時間在這件事上。

孩子表露他的情緒時，你就回應所聽到和留意到的事情。這樣是向孩子保證你在仔細地傾聽，同時你肯定他的感覺。以下是一個例子：

當尼奇收到寄來的生日禮物時，他四歲的弟弟基爾很生氣地提出抗議：「這是不公平的！」。孩子的爹以典型的方式解釋，早晚就會公平的，他說：「你生日到時，祖母或許也會寄給你一份禮物。」

雖然這樣的聲明確實解釋了這狀況的邏輯，但它無法否定基爾當時的感受。現在，除了感到對禮物的妒忌之外，基爾大概對父親不瞭解他悽涼的處境而感到忿怒。

想像假如他父親以一句簡單的話來回應他的發作：「你也希望祖母給你寄一份禮物吧。」，基爾會有如何不同的感受。他可能會想：「對呀，就是這樣。雖然是尼奇的生日，我應該表現得若無其事，但我卻很妒忌。爹瞭解我。」這樣，基爾對於父親遲早會平等的解釋也就較能接受。

在我們養育組內的一位母親，她也有類似的經驗，她的女兒有天從學校回家後埋怨：「沒有人喜歡我。」

「不跟她爭辯事實是十分困難的，」這位母親說：「我知道她在校內人緣很好。當我只是帶著同理心並傾聽她的訴說而並不與她爭論，一分鐘後，這個事件就結束了。我學到當她在談她的感受時，邏輯一點幫不上忙。最好只是傾聽。」

接下來是另一則以同理心去傾聽的例子，是來自我們養育組內一位母親與她九歲的女兒美岡曾有過的對話。注意這位母親最關心的事是認可她女兒的感覺：

美岡：明天我不想去上學。

母親：妳不想？那眞奇怪。通常妳是喜歡上學的。我很納悶，想知道妳是否擔心著一些事情。

美岡：對呀，有一點。

母親：妳擔心甚麼呢？

美岡：我不知道。

母親：有些事情讓妳憂慮，而妳不確定是甚麼。

美岡：對呀。

母親：我敢說妳覺得有點緊張。

美岡：（含著眼淚）對呀。可能是朵恩和白蒂的緣故吧。

母親：今天在學校跟朵恩和白蒂有發生一些事情嗎？

美岡：對呀。今天在休息時間，朵恩和白蒂都不理睬我。

母親：啊，那一定讓妳很難過。

美岡：是呀。

母親：看來妳明天不想去學校是因爲妳擔心朵恩和白蒂可能在休息時間又不理睬妳。

美岡：對呀。每次我朝她們走過去，她們就走開並做些其他的事。

母親：哎喲，我的天呀。我的朋友如果那樣對我，我一定傷心透啦。

美岡：我就是呀。我覺得自己好想哭。

母親：啊，我的寶貝（擁抱著她）。妳發生這事我眞的感到好難過。對於妳的朋友這樣對待妳，我能夠瞭解妳的悲傷和忿怒。

美岡：我就是這樣，明天我眞不知道該做些甚麼。我不想去學校。

母親：因爲妳不希望妳的朋友再傷害妳。

美岡：對呀，而且她們是我一向的玩伴。其他人都有自己的朋友。

就這樣，美岡繼續告訴母親她與女孩們的互動情況。這位母親報告有幾次她想告訴女兒該怎麼做，她想說：「不必擔心，明天朵恩和白蒂會改變她們的態度。」，又或者「不要理這些女孩，找其他新的朋友。」

但是，這位母親忍住沒有說，因爲她想傳達她的瞭解並讓美岡自己找到一些解決的辦法。我認爲這是一個好的直覺。假如這位母親告訴美岡不必憂慮，或者假如她已經暗示一些簡單的解答，她很可能會說她認爲女兒的問題是微不足道的，愚蠢的。然而，美岡發現母親成爲一位心腹朋友並感到安慰。在經過幾分鐘的傾聽及回應女兒向她敍述的事之後，美岡的母親開始探究處理這情況的構想。同時，由於美岡知道母親瞭解她的矛盾，她接納了母親給她的意見。以下是這對話剩餘的部份：

美岡：我不知道如何是好。

母親：妳希望我幫妳想些可行的辦法嗎？

美岡：對呀。

母親：或許妳可以跟朵恩和白蒂談談當她們不理妳時，妳的感受。

美岡：我想我做不到。那太尷尬了。

母親：對，我能瞭解妳爲何會有那樣的感覺。那是需要極大的勇氣。老天，我也不知道，讓我們一起想吧。（隨著時間的過去，這位母親一直撫摸著女兒的背部。）

母親：或許妳可以等著看會發生甚麼事。妳也知道朵恩今天可能很差勁，隔天就又回到老樣子。明天或許她就會比較友善。

美岡：但萬一她不會呢？

母親：我沒有把握。妳有別的法子嗎？

美岡：沒有。

母親：有沒有其他人妳想跟她們一起玩的？

美岡：沒有。

母親：在操場上還做些甚麼事呢？

美岡：只有踢球。

母親：妳喜歡踢球嗎？

美岡：我從來沒玩過。

母親：啊。

美岡：克麗斯塔常常玩球。

母親：妳是說妳在營火會上認識的朋友克麗斯塔？

美岡：對呀。

母親：我曾經在營火討論會上看到妳跟克麗斯塔在一起，而妳跟她相處完全不會感到羞怯。或許妳可以請她教妳如何玩球。

美岡：或許吧。

母親：好，那妳就有另外一個辦法啦。

美岡：對呀，或許行得通。但萬一不行呢？

母親：看來妳還是很擔心。好像妳害怕到時候沒人跟妳玩，妳就不知所措似的。

美岡：對呀。

母親：妳可以想出一些自己一個人玩的有趣事情嗎？

美岡：妳是指像跳繩嗎？

母親：對呀，跳繩。

美岡：我可以帶著跳繩回學校，以防萬一。

母親：對呀。假如妳不跟朶恩和白蒂玩耍，或者踢球遊戲不順利，那妳還可以跳繩。

美岡：對呀，我可以這樣做。

母親：那麼現在何不就把妳的跳繩放進背包裡，才不致於忘記。

美岡：OK，那麼我可以打電話問克麗斯塔明天放學後可以過來嗎？

母親：這主意好極啦。

花一點時間，以同理心讓美岡自己發掘她的解答，如此，這位母親就能夠指導女兒做出一些可行的選擇。

你要知道，當你傾聽情緒受激的小孩的訴求，只與他一起探討通常都比爲了延續對話而發問來得更有效。你或許會問孩子：「妳爲何感到傷心？」而她完全毫無頭緒。一個孩子，她沒有多年的反省經歷（這對她不利也可能對她有利）所以無法立刻說出一個答案來。可能她是對於父母間的爭吵感到很難過，或是因爲她過度疲倦，又或者是她擔心將至的鋼琴獨奏會。但要她這樣敍述，她可能辦到也可能辦不到。就算她眞的能說出一個所以然，她仍很可能擔心這個答案並沒有充份的理由足以解釋她的感覺。在這種情況下，質問只會使孩子變得沉默。較好的做法是反映你所留意到的事。你可以說：「今天你看來似乎有點疲倦，」或者：「我留意到當我提及獨奏會時，你皺眉蹙額，」，然後等他的反應。

另外，避免問一些你已經知道答案的問題。像是：「昨晚你幾點回家？」或者：「是誰摔破了這盞燈？」這些都帶一絲不信任和陷阱味道的語氣——好像你在等著孩子撒謊。最好是以直接明確的觀察來作爲對話的起頭——像是：「我知道你摔破了這盞燈，而我感到失望，」或者「你昨晚大約過了一點才回來，我不認爲這是可以被接受的。」

告訴孩子你自己生活裡的例子也可以是表明你瞭解的一個有效方法。就以基爾這個案例來說，這個小男生爲了他弟弟收到生日禮物而妒忌。想像假如他的父親說：「在我小的時候，當瑪莉姑媽收到禮物時，我也有相同的感受。」這使基爾確信他的感覺是有根據的，甚至他的爸爸也曾經體驗過。由於他感到被人瞭解，也就能接納父親安撫的解釋：「你生日時，祖母或許也會寄給你一份禮物。」

步驟四：口頭上的情緒描述

情緒輔導裡一個簡易卻非常重要的步驟，就是當孩子情緒受刺激時，幫助他們去描述這情緒。在以上的例子中，基爾的父親幫他確定他這不舒適的感覺是「妒忌」。美岡的母親使用了許多幫助女兒定義她的問題的描述：「緊張、擔心、傷害、生氣、難過、及害怕」。如此提供一些字眼可以幫助孩子將一種無形的、恐慌的、不舒適的感覺轉換成一些可以被定義、有界限、而且是每天生活裡正常的一部份的東西。忿怒、憂傷及恐懼變成每個人都有的經歷，而且每個人都可以處理的。

情緒的描述伴隨著同理心。一位父母看到孩子在掉眼淚就說：「你感到十分的傷心，是嗎？」這樣，孩子不單得到父母的瞭解，他還可以以語言來形容這種強烈的感受。

研究表示，情緒描述的行爲對神經系統有安撫的效果，能幫助孩子自不安的事件裡較快地恢復過來。我們未確定這種安撫效果產生的原理，但我的理論是，在你體驗情緒的同時進行對它的討論，是牽涉大腦的左葉，即是語言及邏輯的中心。如此，或許幫助孩子專心並平靜下來。如前所述，教導孩子自我慰藉其影響甚巨。那些在較年幼的時期就能平靜自己情緒的小孩表現數項情緒智力的徵象：他們較能專心、有較好的同輩關係、較優的學業成績、及良好的健康狀態。

我給家長的建議是，幫助孩子描述他們的感情。這不是指告訴孩子他們應該有的感覺。這只是單純的指幫助他們發展一些表達他們情緒的語彙。

孩子愈能精確地以言辭表示他們的感受就愈好，因此，看看你能否幫助他們說中要害。譬如，當他生氣時，他可能也感到失意、忿怒、混亂、被叛離、或妒忌。當她難過時，她可能也感到傷害、被排斥、妒忌、空虛、沮喪。

記住，人們常有混合的情緒，但這對某些孩子而言就可能造成煩惱了。譬如，一個準備要去營火會的孩子可能對他的獨立感到自傲，但也害怕自己會想家。「每個人對於要出遠門都很高興，但我卻感到焦慮，」這孩子或許會想：「我有甚麼地方不對勁呢？」這種情況下，家長可以指導孩子去探究他情緒的領域，並向他保證同時有兩種感覺是很正常的。

步驟五：設規範並幫助孩子解決問題

一旦你花時間傾聽小孩的訴說並幫助她瞭解及描述她的情緒之後，很自然地你會發現自己被引入一個解決問題的過程中。這個過程也可以多至五項步驟：一、設規範；二、確定目的；三、思考可能的解答；四、根據你家庭的價值觀，評估所建議的解答；五、幫助孩子選擇一個解答。

乍看之下，這個過程似乎頗難處理，但經過演練，它變得很自動並且通常很快就可完成。你也希望孩子能以這種簡短的方式經常解決問題。

你可以逐步地指導孩子。但不要驚訝，隨著經驗的累積，他會開始率先去做並漸漸自己去解決困難的問題。

●設規範

解決問題首先通常是父母對不適當的行爲來設規範的，尤其是對小孩子。譬如，一個受挫的孩子以不適當的方式表達負面的情緒，如毆打一位玩伴、摔破玩具、或謾罵。父母在瞭解這不端行爲後面代表的情緒並幫他描述感覺後，就可以讓孩子明白某些行爲是不適當的，而且是不被容忍的。然後，父母可以指導孩子思考一些較適當的方法來處理負面的情緒。

「你對於丹尼取走你的電動遊戲很火大，」父母大概會說：「我也可能會這樣。但你打他就不對。你想，應該怎麼做呢？」或者：「你感到妒忌是正常的，因爲妹妹比你先搶坐車子的前座，但你用難聽的名字叫她就不對了。你能想別的方法來處理你的感受嗎？」

按照金諾的教導，重要的是讓孩子明白他們的感覺不是問題的所在，而不端的品行才是。他說，所有的感覺及所有的期望都是可被接受的，但並非所有的行爲是可被接受的。因此，家長的職責是對行爲而不是對渴望設規範。

假如你認爲要孩子改變對一種處境的感受是不容易的，那麼這就合理了。孩子對憂傷、害怕、忿怒的情緒，不會因爲父母說：「不要哭啦，」或者：「你不應該有這樣的感覺。」而消散。如果告訴孩子她應該有什麼樣的感受，這只會使她不信賴自己眞正有的感覺，這種情況導致自我疑惑及自尊的喪失。相反地，假如我們告訴孩子她有權利擁有自己的感覺——但可能有較好的方法來表達這些感覺——孩子的性格、她對自尊的觀念就不會受到傷害。同時，她知道有一個瞭解她的大人從她情緒激動一直到尋找出答案都在身旁幫忙協助自己。

家長到底要規範那一種的行爲呢？金諾沒有提供可靠確實的答案，而這也是理所當然的；父母應該根據自己的價值觀來給孩子立規距。不過，他倒是對於寬容的程度作了一些指引，他稱之爲「接受小孩的孩子氣」。他說，譬如父母應該接納「一個正常的小孩，身上乾淨的襯衫很快就會骯髒，因爲對孩子來說，正常的行動方式是奔跑而非走路，樹是要爬的，而鏡子是做鬼臉用的。」允許這類的行爲，「帶來信心並增強表達感覺及思考的能力。」相反地，過份寬容是接受不良好的行爲如破壞性的行爲。應該避免給于過份的寬容，因爲它「帶來焦慮並增加對無法給于的特權的要求。」

金諾也建議家長考慮使用三「區段」行爲規則，它分爲綠區、黃區、及紅區。

綠區包括被認可及合適的行爲。這是我們要孩子採用的行爲，所以我們允許他們去做。

黃區是不被認可的不端行爲，但由於兩項特殊的理由而被容忍。第一項是「學習的餘地」，你四歲的小孩無法在教堂做禮拜時安靜地坐著，但你期望隨著年齡的增加，他會變得較好。第二項是「克難期的餘地」一個五歲的孩子害感冒時鬧彆扭；一個十幾歲的少女在父母離婚時對母親的職權視若無睹。你或許不會批准這種行爲，所以你必須讓孩子知道。但是你可以退一步容忍它，告訴孩子你如此做完全是由於情況特殊。

紅區是無論如何都不能容忍的行爲。這些包括會危害孩子或其他人幸福的行爲，也包括不法的，或你認爲邪惡的、不道德的、或社會所不容納的行爲。

對不適當的行爲設限制時，家長應該讓孩子知道遵從或違反了這些規定的後果。良好行爲的後果可以是正面的關切、贊揚、特權、或獎賞。不良行爲的後果可以是不予關切、特權的喪失、或沒有獎賞。假如後果是前後一致的、公平的、並與行爲不端有關的，孩子反應的效果最佳。

對於幼兒——如三至八歲之間，「暫停」是一個很普遍的行爲不端的後果。正確的使用法是，孩子被短暫地隔離，不得與同輩及照料者有正面的接觸。假如正確地運用，這個方法可以很有效地幫助孩子停止不端的行爲，平靜下來，並有一個較正面的新開始。很不幸地，太多家長和照料者不正確地運用「暫停」，他們除了隔離，還加上粗暴的言行，讓孩子感到被排斥和被侮辱。這種損傷人格的做法並沒有帶來多少的益處。我強烈地向父母呼籲要謹慎敏銳地使用「暫停」法。

另一個美國家長常用的不端行爲的後果是打一頓。譬如，在一九九〇年對高中的一份調查，顯示百分之九十三在幼年時曾經挨罵，其中百分之一〇．六報告有嚴重的身體處罰以致留有鞭痕或瘀青。雖然在美國打孩子是很普遍但這不是全世界父母的標準。譬如在瑞典只有約百分之十一的家長報告打孩子——這數字讓許多人相信與這國家普遍暴力事件偏低有關。

許多打孩子的家長解釋他們這樣做會使孩子服從。其實，許多孩子爲了避免皮肉之痛而會遵從命令。但問題在於打孩子在短時間內馬上見效：它不經過討論，立即就制止了不端的行爲，斷絕了教導孩子自我控制及解決問題的機會。長遠來說，打孩子可能一點效果都沒有。

打常常會造成反效果，因爲它使孩子感到無力、對待不公平、並怨恨父母。打之後，孩子比較會想到報復而非自我改進。羞辱的感覺可能使他們否認做錯事，或者他們可能計劃如何避免在下次犯錯時「被逮到」。

打也成爲示範的例子，表示侵略的行爲是你想要得逞時的一個合適方法。研究發現挨罵的孩子比較容易毆打他們的玩伴，尤其是那些較瘦小軟弱的。打的效果也可能產生一個長期的影響。研究顯示挨罵的小孩其侵略性與所受體罰的嚴重度是有關的。長大到少年後，他們比較會毆打父母；成年後，他們比較會變得暴力並且在人際關係上也會容忍暴力行爲。最後，那些童年被體罰的人也比較不會照顧他們年邁的雙親，雖然極大部份的美國家長打孩子，我相信多數的人希望以其他較好的方式來處理孩子的不端行爲。很有意思的是，研究有關父母接受對孩子管訓的訓練，顯示一旦他們發現別種有效的辦法，他們就不會使用打的方法。

允許孩子保留他們的尊嚴、自尊、及權力，這樣子的規範會讓家庭的運作更成功。當孩子明白設定的規距，同時又有控制自己生活的概念，他們一開始就比較不會犯錯。當他們學會調整自己負面的情緒，就較不需要家長的規範及管訓。在父母被視爲公平、可靠的盟友下，孩子就比較能夠與父母共同解決問題。

●確定目的

當父母可以抱持同理心去傾聽孩子的訴求，對感情作描述，並對不適宜的行爲設限後，下一步通常是確定解決問題的目的。假如這不太合乎邏輯，那麼很可能你太倉促了；你的小孩大概仍需要一些時間來表達她的情感。假如你覺得自己正處於這種狀況，嘗試不要打斷她的話題。只要單純地鼓勵孩子繼續談論，抱持著同理心、描述感覺，並不時地反映你的所見所聞。一些開放式的問題也有幫助，譬如，「你覺得甚麼事情讓你傷心（或生氣或焦慮）？」「是不是今天發生了一些事？」你可以提供一些假設性的想法來幫助孩子找出原因。最後，你的孩子很可能會達到這樣的領悟：「現在我知道自己感覺糟透的原因，而且我知道引起這些感覺的問題在哪裡。我該怎麼去處理這個問題呢？」

要鎖定解決問題的靶子，就要詢問孩子關於眼前這問題，他想得到些甚麼。通常，答案是很簡單的：他想調整好傾斜一邊的風箏；他想解答一題複雜的數學題。其他的情況可能需要說明。譬如，在跟妹妹吵架後，他或許需要決定最好是報復，還是尋找避免以後爭吵的辦法。有時候，情況看似全無解決之道：小孩寵物的去世，他要好的朋友遷移他州，他得不到眞正想要在學校戲劇社內主演的角色。像這樣的案例，你孩子的目的可能只是單純地接受失敗或尋找慰藉。

●思考可能的解答

與孩子一起討論解決問題的一些方法。家長的主意可能是一大幫助——尤其是對於年幼的孩子，他們通常苦無對策。可是，重要的是避免越俎代庖。假如你眞的希望孩子能有收穫，你應該鼓勵她去孕育自己的想法。如何好好地處理這種動腦筋解決問題的過程，主要取決於孩子的年齡。大部份十歲以下的孩子都不善於抽象思考。

因此，同一時間內，要他們腦袋裡擁有超過一種的選擇是有困難的。所以，一旦你倆有了一個主意，這個年紀的小孩很可能就要馬上嘗試，而不會去考慮其他的途徑。我記得當自己的女兒莫莉亞四歲時，跟她談及如何處理她對惡夢中「一隻怪獸」的恐懼的策謀。

「妳可以將妳的感覺畫成一幅圖畫，」我向她建議。轉眼間，她就去找她的臘筆。由於你不希望消毀這股熱枕，你可能要一個一個去嘗試解答，然後徵求孩子做決定，從所有嘗試中選擇最有效的辦法。要向孩子表示另類的選擇，假扮或幻想的遊戲也可以是一個具體及便利的方法。你可以使用木偶、洋娃娃、或自己本身去扮演對問題的解答。

由於小孩子通常是好壞分明的思想模式，假裝兩種情況對立的版本有助於解釋——一個代表「好的」情況，一個代表「壞的」情況。

譬如，兩個布偶爲了一個玩具在爭吵。在第一幕裡，一個布偶未經過同意，擅自從另一個布偶處搶走玩具。在第二幕裡，一個布偶提議輪流玩玩具。

至於較大的孩子，你可以採用一個較傳統的「絞腦筋」過程，如此，你跟孩子盡量努力思索可能的辦法。爲了幫助產生創意，一開始先告訴孩子沒有想法是愚蠢的，而你唯有到最後才從所有的可能中除去一些選擇。要向孩子表示自己對這過程的認眞，你可以同時寫下你倆想到的所有的辦法。在你思索解答時，一個鼓勵孩子發展的技巧是，將過往及未來的勝利之間的關係連繫起來。

你可以提醒他們過去的成果，然後鼓勵他們做新的嘗試，並預測自己有類似的成功。最近莫莉亞在幼稚園的友誼關係上出了問題，使我有機會與她嘗試這個技巧。那天她被這問題煩得不想上學。

我決定不告訴她怎麼處理，而寧可在問她自己想法的同時，提供一些幫助她重新檢視這個狀況的訊息。以下是我們的對話：

莫莉亞：我不想上學，因爲游泳課需要一個搭檔，瑪格烈一直想跟我作伴，但我卻想跟寶莉在一起。

我：我瞭解這問題眞的使妳感到很沮喪。

莫莉亞：對呀，眞的煩死啦。

我：妳能夠怎麼做呢？

莫莉亞：我不知道。我喜歡瑪格烈但我已經厭倦了一直跟她搭檔。或許我可以在瑪格烈問我前先抓住寶莉的手。

我：好呀，那是一個辦法。妳速度必須眞的要快啊，不過妳應該做得到。

這時候，我有衝動很想提出我的建議，但我瞭解爲了莫莉亞的成長，最好是忍住自己，只是持續地輔導她，讓她從自己的觀點及經歷來探究這個狀況。

我：妳還想到其他辦法嗎？

莫莉亞：沒有。

我：OK，讓我們再來談一談。妳在學校感到煩惱及沮喪。妳記得以前曾經有過相同的感受嗎？

莫莉亞：有呀。多多少少。就像丹尼爾常常在拉扯我的頭髮時。

我：我記得那事。那妳是如何處理的呢？

莫莉亞：我告訴他我希望他停手，否則我會去告訴老師。

我：有效嗎？

莫莉亞：有呀。他就停手啦。

我：那件事有沒有甚麼讓妳回想可以用在這件事上呢？

莫莉亞：啊，或許我可以跟瑪格烈談談，告訴她這陣子我不想跟她搭檔，但我仍然想跟她交朋友，而有時候我只是想做寶莉的搭檔。

我：不錯。現在妳有了兩個解答。我知道妳還會有更多的好主意！

●評估所建議的解答

現在是檢察你所引發的每一個解答的時候，決定去嘗試那些或除去那些。鼓勵孩子個別考慮每一個主意，提出一些問題如：

「這個解答公平嗎？」

「這個解答有效嗎？」

「它有把握嗎？」

「我會感覺怎樣？其他人又會感覺怎樣？」

這種訓練是你與孩子共同探究需要對某些行爲設限的另一個機會。譬如，莫莉亞因爲游泳搭檔的問題而提出留在家裡的建議。我可以指出事情的不可行，因爲莫莉亞隔天還是要面對同樣的問題。這類的對話也給家長增強家庭價值觀的機會。我可能對她說：「我們認爲妳最好面對妳的問題，而不是留在家中逃避它們。」我也可以利用這個情況來加強莫莉亞仁慈的道德觀：「我很欣慰妳考慮到告訴瑪格烈妳仍然想跟她交朋友。我認爲能夠對妳朋友的感受有敏銳的感覺是很重要的。」

●幫助孩子選擇一個解答

一旦你和孩子探究完各種分歧的意見，鼓勵她選擇一種或幾種方法作嘗試。

雖然你想鼓勵孩子自己思索，但這也是提出你的意見及指導的良機。此時，不必畏懼告訴孩子你年輕時如何處理類似的問題。你從經驗中學到甚麼？你犯了甚麼錯誤？甚麼決策讓你自豪？在幫助她解決困難的當中灌輸她你的價值觀，比單純地講解與孩子日常生活無關的抽象概念要來得更有效。

雖然你想幫孩子做好決定，但切記他們從錯誤中也有所學習。假如你的孩子轉向一個你知道是行不通但無害的主意時，你或許希望她無論如何也試試。然後如果失敗了，就鼓勵她朝另一個方向發展。

一旦孩子做了一個選擇，幫助她以具體計劃達成。譬如一對兄弟爲了家庭雜務吵嘴，則設法安排分工合作。鼓勵他們達成基本規則的協議，指派任務並同意對調的時限。(傑克遜負責晚餐的碟子，約書亞負責午餐的碟子，兩星期後互調。) 另外，有一套評估成效的辦法也是一個好主意。譬如，這對兄弟同意嘗試一個月，然後討論它的效果，如有需要再做修改。如此一來，孩子逐漸瞭解辦法是可以一邊進行，一邊修正的。

當孩子選擇一個行不通的解答，幫助他們分析失敗的原因。之後，你可以重新開始討論解決問題的辦法。這樣讓孩子瞭解一個意見的取消並不表示這番努力是完全白費的。指出這只是學習過程中的一部份，而且每一次的調整只會讓他們更接近成功。

4 更多有助於情緒輔導的方法

當你和孩子定期地運用情緒輔導的五個步驟，你倆大概會變得很熟練，對於感覺的察覺力變得更強，也較願意表達它們。你的孩子也可能體會到與情緒輔導者共事解決問題的益處。

可是，這不表示情緒輔導保證風平浪靜。你的家庭必然會遭遇至少幾項障礙。有的時候當你想與孩子有情緒上的接觸，但由於某些原因，你收不到明確的訊息。另些時候，不論你怎麼說或做，你似乎無法將訊息傳達給孩子。你可能覺得他迷失在自己的世界裡，而你很可能是對著一片牆在自言自語。

本章裡介紹一系列的策劃，對於在情緒輔導過程中或之後發生的障礙可能證明會有幫助。這些是我及同事們根據養育小組、臨床研究、以及觀察性的研究而獲得的成果。另外，還包括一些常見的家庭狀況的敍述，這是些情緒輔導也發揮不了太大作用的案例。這時候，最好是嘗試改變方針，延後實施情緒輔導。最後，在章末，有一項測驗幫助評估並建立你情緒輔導的技巧。

額外的策略

●避免過度的吹毛求疵、侮辱性的評論、或嘲弄孩子

我們的研究明確地顯示這樣的損傷對親子間的溝通及孩子的自尊是具破壞性的。

在我們與家庭所做的研究實驗，我們發現家長以各種方式表達這類的行為，譬如，語氣輕蔑地逐字重覆孩子的解釋。(「我不記得那件事，」孩子可能這樣說。「你不記得？」父母輕蔑地回應。) 在電動遊戲演練的錄影帶裡，一些父母對孩子犯的錯誤反應過度，用批評的話砲轟一陣，使孩子難堪。其他可能還會推開孩子的手，接管遊戲，表示他們認為孩子是無能的。在論及關於孩子情緒的面談中，許多家長告訴我們，他們對學前孩子發怒的反應，是取笑或嘲諷他們。

三年後，我們再次追蹤同樣這批家庭，發現遭受父母無禮、輕蔑行為的孩子，與在學校課業有問題、與朋友相處有困難的孩子是同一批的。他們體內與壓力有關的荷爾蒙濃度較高。導師報告說他們有較多的行為問題，而母親則說他們較常患病。

這類負面、損傷人格的撫育方式在現實世界與在實驗室裡都可看到。每分每秒，好意的家長持續地矯正孩子的舉止、嘲弄他們的錯誤，並且當孩子在執行最簡單的任務時，不必要地介入其中，這樣只會削弱他們的自信。他們毫不在意地形容孩子，這些描述的標籤對孩子自我的概念就像膠水一樣緊黏不放。(鮑比是「過動的」，凱莉是「文靜的」，比爾是「懶惰蟲」，安琪兒是「我們的小呆瓜」）另外，很常聽到父母向其他大人拿自己的孩子開玩笑；或者看到父母嘲弄孩子的憂傷，說一些類似「不要像個小嬰孩」的評語。

很明顯的，那些眞正與孩子的感情有溝通的家長看來不太會有這種行爲。然而，我們的研究顯示即使我們歸類爲情緒教練的父母，有時候在非有意的情況下也對小孩造成人格的損傷。這也是爲何我呼籲所有的家長對隱伏的批評、諷刺、及損傷人格的習慣要特別警覺。千萬留意不要尋孩子的開心。給他們空間，讓他們嘗試新技巧，即使那表示允許他們犯錯。避免在人格上作標記，指出特定的行爲而不是大手筆的人格速描。譬如：「我們在祖母家不得爬上傢俱，」而非「停止做這麼令人討厭的事！」

雖然有些孩子臉皮很厚，但沒有一個是鐵氟龍做的。孩子希望從父母處得到認同，並且很容易相信父母給他們的評語。假如父母以戲謔、過度批評、及侵擾的態度降低或侮辱孩子的人格，他們就得不到孩子的信任。沒有信任的基礎，不會有親密，傾聽失去了意義，也就不可能共同解決問題了。

●使用「鷹架」及讚許來輔導孩子

這是我們在實行情緒輔導的家庭中觀察到的一個手法，他們很成功地在電動玩具實驗組內教導孩子。他們的表現與先前所述的過份批評的家長完全是天淵之別。首先，實行情緒輔導的家庭會以緩慢、平靜的態度給孩子一些剛剛足夠的資訊做開頭。然後，他們會等待孩子做對了一些事情後，針對他們的行爲給于特定的，而非全面的讚許。(譬如，一位父親會說：「好！你按鈕正好按對了時間。」這類針對性的稱讚比廣泛性的稱讚，譬如：「好！現在你眞的抓住它的訣竅啦！」，對教導的效果較有效。) 接下來，在讚揚之後，家長會慣例地再多加一點指導。這個家庭會一直重覆這些步驟，最後，孩子逐步地將這個遊戲學習完畢。

我們稱這種手法爲「鷹架」，因爲家長利用每一次的小成功來增進孩子的信心，幫助他勝任下一個階段。與先前所述的過份批評的家長相比，情緒輔導的父母極少使用批評或侮辱的方式來教導孩子，他們更沒有介入接管由自己來玩遊戲。

在使用「鷹架」式的手法時，情緒輔導父母緩慢、平靜的典型態度，可以跟公衆電視台裡的羅傑士先生與孩子談話時的語氣相比。

將這方式與另一個受歡迎的兒童電視節目「芝麻街」作一個比較。「芝麻街」用俏皮的、俗豔的角色及活潑的調子來捕捉並維持孩子的注意力，但羅傑士先生則直接面對鏡頭，用他那愼重的、溫和的步調讓小孩子專心並易於聽懂。

「芝麻街」是採機械性的背誦方式教孩子數字、英文字母等等。但羅傑士先生平靜的態度及安撫的語調則比較適合教導孩子關於感覺及行爲的複雜概念。

●忽視你的「養育計劃」

雖然情緒的時刻是施于同理心、增強結合力、及實行輔導的良機，它們對家長來說，也造成挑戰，這些家長懷有我所謂的「養育計劃」——父母根據一個他們視爲會影響孩子幸福的特定問題定下目標。這種計劃常常與被讚賞的價值，如勇氣、節儉、仁慈及紀律有直接的關係。每個孩子都有不相同的氣質，家長可能擔心其中一個小孩過於獨斷，另一個則太膽小。一些孩子似乎是懶惰、無自律的，而另一些則被認爲是過於嚴肅、缺乏自發性與幽默。無視問題的獨特性，這種計劃使父母很注意行爲問題，一直嘗試要矯正孩子的方向。如果因計劃而起衝突，警覺的父母認爲這是他們的責任——他們在道德上的義務——必須加入自己的想法：「由於你的健忘，你又忘了餵貓，這是很殘忍的。」，「由於你的衝動，你把部份儲蓄的零用錢拿去買音樂會的門票，這是很愚蠢的。」

我讚揚與孩子分享價值觀的父母，我認為這類的教導是養育極重要的一環。但無論如何，家長必須有警覺心，除非養育計劃有著敏銳的溝通，否則，它們只會防礙了父母與孩子的關係。理由之一，養育計劃常常干擾父母以同理心傾聽孩子的訴說。這種情況下，養育計劃會失敗，實際上也侵蝕了父母影響孩子做決定的能力。我讓你看一個例子：琴，她是我們其中一個養育組內的一位敏感和關心的母親。她很久之前就擔心兒子安德魯「沮喪的態度」。她很掛慮這個九歲的孩子會有「扮演受害者的角色」，而擔心這會多麼地影響他與其他人的關係。後來，她跟他簡短地聊到他和姊姊發生的一次爭吵後，琴就計劃要使安德魯在與姊姊相處時，負起較多的個人責任。

「甚麼事情呀，寶貝？」她開始說：「你看來有點難過。」

「我眞希望有個心腸比較好的姊姊，」安德魯回答。

「啊，那你對她好嗎？」琴反問。

想像現在安德魯對這個問題會有怎樣的感受。媽媽似乎關注他的感覺，但當他表白時，她卻批評他。不錯，這是帶著好意輕微的批評，但畢竟它是一項指責。

現在，假如琴回說：「我能夠瞭解爲何有時候你會有那樣的感覺。」想像安德魯會有怎樣的反應。這種聲明使安德魯確實知道媽媽是專注在他的憂傷上，她會幫他整理與姊姊產生的情緒，並帶來解答。可惜，琴卻責備安德魯，使他變得更防禦並且較不願意扛起他在爭吵中的責任。

愛麗絲．柯恆—金諾(Alice Cohen-Ginott)，曾與先夫漢．金諾攜手工作的父母教育家，她說甚至在父母知道孩子行爲不端時，養育計劃也會有所干擾。她勸告父母先瞭解隱藏在行爲不端後面情緒的意義，才與孩子討論他犯錯的行爲。

要瞭解隱藏在行爲不端後面情緒的意義，最好避免提一些問題類似：「你爲甚麼那樣做？」這問題聽來像是一種控告或批評。孩子比較可能會防禦而不提供有用的訊息。因此，嘗試以關心他在犯錯時的感覺發問。

當然，面對行爲不端時要忽視你的養育計劃談何容易——尤其當你感到訓誡就要溜出唇間。但是未討論在它後面情緒的意義而先批判一件惡行，這通常是無效的。它就像是孩子發高燒時，你只顧在額頭上敷冰毛巾，而不先去治療造成高燒的感染病。

有一個例子：一位母親遲了一小時才去托兒中心領回她的三歲兒子。這個一向被母親形容爲「倔強」的孩子，這時候開始表現得悶悶不樂。他拒絕穿上夾克，也不願意離開。這位母親可以責備孩子的不聽話，或者她可以停下來想想之前發生的事，並嘗試瞭解男孩的感受。如果選擇了後者，她會說：「我今天比平常較晚來，對嗎？你大部份的朋友都回家了，這是不是讓你感到有點焦慮？」孩子擔憂及緊張的心情被肯定後，突然感到放鬆並擁抱著媽媽。然後，夾克的問題也解決了，兩人就可以歸家去。

要成功地與兒子溝通，母親必須忽略她一直以來要使他較不「倔強」、較合作的計劃。常常，家長對孩子惡行的反應剛好相反。他們對養育計劃鎖得更緊，對孩子的問題表現得好像那是人格上一個永久負面的瑕疵之一。他們或許會因此責怪孩子：安德魯太敏感；珍納太富侵略性；鮑比太害羞；莎拉太不能集中注意力。這些描述防礙施展同理心，也對孩子有破壞性的影響，因爲小孩子很不幸地，都是相信父母的，他們被視爲是神聖的預言家，而孩子則嘗試去履行父母的觀點。

在他的自傳裡，作家基斯杜化・海露威(Christopher Hallowell)記得父親嘗試教他建造一個木箱。「假如你不能建造一個方正的木箱，」他父親說：「你甚麼也無法建造。」經過多番努力，海露威終於做了一個木箱，儘管它是不太平穩的。對於這件事，他說：「……每回我父親檢查它時，他都會皺著眉頭說：『你並沒有做成一個正方形。你永遠不會成為一位好的建築師，除非你做出一些方正的東西。』最後他不再皺眉頭，也不再提起關於那箱子。歷年來，我用它來放一些雜物，每次揭開蓋子總覺得有股溫馨的感覺，雖然在不遠處浮現著父親不滿意的表情。」

對海露威這位成功的作家而言，這種傷心的情節變成往後他與父親關係永恆的記憶。但在我們看來，它是一個沉痛的教訓，家長的批評對孩子有很強的衝擊。

身為一位家長，沒有人願意自己的孩子對建造搖擺的木箱感到滿意，也沒有人希望他們長大後變得懶惰、退縮、侵略、愚昧、懦弱、虛假。但我們也不想這些弱點變成孩子給自己下定義的人格性質。如何能避免造成這些負面的「標記」呢？答案就是避免對孩子的氣質作全面的、持續的批評。在糾正孩子時，專注在他們日常生活中即時發生的一件特定的事。你對孩子說：「你太不小心並且麻煩多多。」這樣的話最好換成：「你房內到處散亂著玩具。」；「你是這麼慢的一個閱讀者。」最好換說：「每晚閱讀三十分鐘，會讓你讀得比較快。」；「不要做個膽小鬼。」最好換說：「假如妳說大聲點，那女侍應生就能聽見。」

●在腦海中創造一幅孩子日常生活的地圖

孩子通常不擅長於表達自己的情緒。你的小孩某天看來似乎不安煩躁，但她卻無法告訴你她的感受及原因。遇到這種情況，有用的是能夠知道有關孩子生活中的人、地點、及事件。如此，你比較有準備去探究孩子感情的來源並幫助他們去描述。你也向她證明你認爲她的世界是重要的，這樣或許會使她感到與你更親近。

我將這種基本的認識想作是某種的地圖——是父母有意識地放在腦海裡。對於這種地圖，一位家長可能會說：「這是我小孩的世界，這些是裡面的人物。我知道他們的名字、臉孔、及個性。我知道孩子對他們每一個的感受。這些是他的死黨，而這個是他的死對頭。我的小孩認爲這位老師很善良，這位教練很有趣，但那位老師讓他膽怯。這是他學校的平面圖。我知道那裡他感到最舒適，我也知道他覺得要面對的危難是甚麼。這是他日常的課表，他對這些科目最感興趣，而這些就讓他很頭痛。」

創造一幅孩子情緒世界的地圖需要大量的努力並且要留心細節。家長必須花時間瞭解孩子在日間托兒所、學校、及放學後活動的情形。他們需要與孩子交談，認識孩子的朋友及老師。跟所有發展中的社區的地圖一樣，這個也需要定期地更新資料。保存一張這樣作爲資料來源的地圖的父母，會發現它在有意義的討論中提供許多共通的觀點。

●避免「支持敵人」

當孩子被欺負時，他們希望從父母處得到忠誠、憐憫、與支持。只要父母不犯「支持敵人」的錯誤，這些都是實行情緒輔導的良機。它是一種挑戰，尤其當父母很自然地偏向比較會與孩子發生衝突的權力代表——譬如，老師、教練、孩子領袖、或其他小孩的父母。

想像譬如，一個過重的女孩不安地回到家，因爲舞蹈老師對她的體型做了個輕率的評語。假如母親曾經嘗試失敗要女兒減肥，她很可能想告訴女孩老師是對的。這大概會讓女孩感到全世界都跟她作對。但如果母親能對女孩有同理心，說：「我對妳發生的事情感到難過。妳一定覺得困窘並感到傷心。」這或許就拉近了母女的關係。如果這位母親維持對女孩的同理心、支持的態度，一段時間之後，女孩終究會接受母親的建議。

可是，如果你是那個敵人，是孩子忿怒的目標，你又該如何處理呢？我認爲同理心也能在這種狀況下發揮作用，尤其如果你對自己的立場是誠實的，即你不是防禦的。譬如說，你宣佈禁止孩子看電視直到她功課有進步，而她因此發怒。你可以在不改變初衷的情況下說：「我瞭解妳爲何大發脾氣。假如我在妳的處境，我也會有同樣的感覺。」

發生衝突時，可以以誠實與坦率的態度鼓勵孩子表達她的感情，尤其你可以使用誘發辯論的評語，如：「我可能對這件事的看法是錯誤的，我也不是永遠都是對的。我想聽聽你的意見。」雖然許多父母對這種放低姿態的作法感到不習慣，但它讓孩子覺得你是公平相待並且有誠意去傾聽，如此，代價就值得了。

你的對話並不一定要達成協議，只是要互相瞭解溝通。假如你的孩子突然發出聲明：「乘法表是愚蠢的，」或者「鼻環很好看，」你大概有衝動想長篇大論地對他囉嗦，證明他的不對。可是，如果你是以對話的方式跟他溝通，效果或許更好。你可以用這樣的開頭：「我也是很討厭背那些乘法表。」或者「我自己不喜歡鼻環，但爲甚麼妳會喜歡？」

●依據類似大人的情況來考慮孩子的經歷

當你對孩子要產生同理心而感到有困難時，這個技巧就幫得上忙。這種情況可能是他對一些你認爲不重要或幼稚的事情感到苦惱。譬如，他在課堂上發表報告時，有人取笑他的眼鏡架，或者，他擔心夏令營的第一天。你知道他會克服這些考驗（以及其他許多困難），你因此想淡化他的掛慮或忽視它們。雖然這種做法讓你感到比較安慰，但對孩子不會有甚麼幫助。事實上，他可能知道父母覺得他很愚蠢而心情更惡劣。

要做到比較有同情心，方法之一是將孩子的處境轉換成大人的形式。想像如果在你起立作銷售的報告時，你的同事低聲議論著你的外表的情況；想想你第一天上班是如何地焦躁不安。

在阿德莉・菲伯及依蓮・馬斯李許合著的《沒有競爭的兄弟姊妹》中，她們爲了幫助父母瞭解小孩子在新寶寶降臨後的妒忌，提供了以下這項建議：想像你的配偶帶回家一位新的愛人，並宣佈所有人將會愉快地生活在同一個屋簷下。

●不要嘗試將你的解答加在孩子的問題上

迅速毀滅情緒輔導的一個方法是告訴傷心或忿怒的孩子你會如何解決這個問題。要瞭解箇中原因，只需想想在婚姻中常會發生這種不幸的運作情況。典型的一幕是像這樣的：妻子從公司回來，對於她與同事的爭執感到煩惱。她的丈夫分析問題後，在幾分鐘內，列出解決的計劃。可是妻子不但對勸言沒有感到感激，反而情緒更糟。這是因爲他沒有向她表示他明白太太心境是如何地傷心、忿怒、及沮喪。他只是證明這個問題是多麼簡單地被解決。對妻子而言，這或許意味著她不夠聰明，或者很可能她自己也會想到這個辦法。

想像如果丈夫不是立即提出忠告而是安撫著她的背部，妻子會多麼地感到比較舒適。他可以一邊按摩著她的背部，一邊傾聽她詳細地述說這個問題以及她對此事的感受。完畢後，她開始構想一些辦法。此刻，因爲她對配偶有了信任（按摩後感覺更勝一籌），她很可能會徵求他的意見。最後，丈夫就有機會提供他的勸言，而妻子也能接受聽取這個解答，她不會覺得情緒低落，反而感到來自伴侶的力量與支持。

這也是親子間運作的方式。父母可能對孩子不願意聽取他們自發的忠言而感到失望，尤其他們將自己較多的智慧與人生經驗與孩子分享，卻不得要領。但這不是孩子學習的方式。在未有同理心前就提出建言等於像是未打堅牢的地基就要蓋房子的外殼。

●以提供選擇、尊重願望而授與孩子權力

成人很容易忘記孩子會感到多麼地無助。但假如你透過他們的視野來看世界，你會發現社會如何地強調他們要服從合作。大部份的兒童對日常生活無法加以操控。睡夢中的嬰孩從搖籃中被抱出，放在嬰兒車內被推去日間托兒所。較大的小孩聽到校鈴聲響，急忙排隊等著點名。家長立一些規定像：「等你洗完碟子才准吃甜點。」；或者，「你不能穿成那樣出門。」；還有更典型的：「因爲我說的。」你能夠想像對配偶或朋友說這種支配性的話嗎？

我並不是說要孩子服從與合作是不好的。爲了孩子安全與健康著想——還有家長的清靜

——服從常常是必須的。但家長似乎常常特地將情況戲劇化，向孩子表示年輕人是多麼地無力。通常，表達的方式不會惡劣；反而是父母過度地壓抑與倉促所造成的結果。如果今天忙碌的家庭要在時間內完成所有的要求，孩子的需求也要排除。(「不行，你不能玩顏料，我們剛剛才打掃完畢，沒有時間清理第二次！」「不行，我們不能在公園裡逗留。否則，你哥哥的足球練習就會遲到了。」)

對於許多孩子而言，很不幸的是，這種強調合作只是表示願望跟喜好都被習慣性地忽略了。一些孩子甚至沒有機會做最低度的選擇——譬如，穿甚麼，吃甚麼，如何利用時間。結果，他們長大後，無法明確地辨別自己喜歡或不喜歡的事物。有一些甚至完全不懂得如何做選擇。這些全部都阻礙了孩子負責任的能力。

孩子需要練習衡量自己的選擇，找出答案。他們必須瞭解當他們根據家庭的價值觀做出選擇後，會發生甚麼樣的後果；而當他們不理會家庭的價值觀做出選擇後，又會發生甚麼樣的後果。這些有時候是慘痛的教訓，但它們可以是父母實行情緒輔導，提供指引的大好機會。

父母可以有信心的是，孩子愈早學會表達他的喜好並做出明智的選擇就愈好。一旦小孩到了青春期，有了更多的自由以及伴隨而來的危機，不負責任的決定就會更危險。

除了責任感之外，給孩子選擇可幫助他們建立自尊。被家長一直限制選擇的小孩得到的訊息是：「妳不只弱小；妳的渴望更不足道。」假如這眞的產生效用，她會變得服從合作，但她對自我的意識卻很差。

不錯，給孩子選擇和尊重他們的願望需要時間及耐心。曾經有一位研究員發現學前兒童平均一分鐘有三次的請求。我不認爲所有的請求都需要有回應，但許多的請求都只需要家長很微少的代價。你的女兒想切掉三明治的麵包皮；你的兒子想在你電視轉台前再看一次「大鳥」；你的女兒不要你買有果核的冰淇淋；你的兒子希望你把大廳的燈亮著。這似乎是不可思議的事，但傾聽與施于這些願望，可能在將來產生重大後果。孩子得到的訊息是：「人家重視我的願望；我的感受不是無關緊要的。」慢慢地，這種想法可以讓小孩變得有主見，如：「我是那種喜歡彈鋼琴的小孩。」；或者：「我是那種很熱愛數學的人。」

●分享孩子的願望與幻想

這是達到孩子思想水平、使同理心易於產生的一個很好的技巧。當孩子表達超越現實可能性的慾望時，尤其有效。譬如說，你十幾歲的孩子告訴你他想要一輛新的越野脚踏車，但你不確定你是否買得起。假如你跟許多家長一樣，你第一個衝動可能就是感到發怒。你想告訴他：「畢竟，去年我才剛給了你一部新的競賽脚踏車，你以爲我是印鈔票的嗎？」

但是，假如你利用幾分鐘想想他的願望並陶醉在他的幻想中，結果又會如何呢。或許你會說：「對呀，我明白你爲何想要一輛越野脚踏車。你喜歡騎在郊野的小徑上，對吧？」你甚至可以將幻想拉得更遠，接著說：「假如你所有的朋友都有越野脚踏車不是很棒嗎？想像假如我可以帶你們一伙人去露營一週，我們可以帶帳篷、釣魚的裝備等等……」

然後，你可以探究有與沒有越野脚踏車的露營的優點。你還可以指出你自己是不會買脚踏車的，但你可以引發他自由談論如何自己賺零用錢來購買一輛脚踏車。重要的是你的兒子知道你已經聽取了他的訴求，而你也肯定他和他的慾望。

●以誠實對待孩子

大多數的孩子似乎對家長——尤其是對父親——是否在說眞話有第六感。所以，情緒輔導不只是重覆地說著一些句子像是：「我明白，」或者「那也讓我氣瘋了。」你可以說恰當的話，但假使你口是心非，是不會拉近你和孩子的關係。事實上，謊言只會使你失去孩子對你的信任，也在你倆的關係中造成裂痕。因此，確定你在說之前眞的瞭解孩子。如果你不確定是否瞭解，就單純地反映你的所見所聞。提出一些問題，嘗試保持不隱晦的對話，總之，不要冒充明白。

●一起閱讀兒童文學

自嬰孩到少年期，高品質的兒童書籍對父母與孩子都是學習情緒的好方法。故事可以幫助孩子建立談論情緒的語彙，並闡明人們處理忿怒、恐懼、及憂傷的種種途徑。

適當挑選、針對年齡的書籍更能夠讓父母談論一些他們感到難以啓齒的主題——如「嬰兒是從哪裡來的」及「祖父去世後會怎樣」。

電視節目和電影也可作爲家庭對話的材料。但我認爲書本有較好的效果，因爲讀者與聽者可以隨時停頓下來討論故事的情節。大聲閱讀也比較能讓孩子意識到整個家庭在參與說故事，因此他們對敍述與角色有更深的投入感。

文筆不錯的兒童文學也幫助家長瞭解年輕人的情感世界。我們組內的一位母親陳述她與十歲的孩子一起讀的一則故事，那是關於一群十歲左右的女孩，她們因爲其中一個成員要離去而感到傷心。雖然那只是一則很單純、普通的故事，它深深地感動了這位母親，因爲它勾起了當她正值女兒的年紀時，橫越美國的遷居帶給她的失落感。憶起了童年友誼的熱情，這位母親也就對女兒發展人際關係的重要性有了較佳的瞭解。

很不幸的是，許多家長在孩子可以自己讀書時，就放棄大聲閱讀給孩子聽的習慣。但有些家長則持續到孩子的少年期，逐步閱讀愈來愈高深的書籍。這種習慣就像固定的家庭進餐時間，一定可以讓父母與孩子在彼此一致的基礎下有連繫，並分享樂趣。

本書最後的「附錄」有一系列關於處理情緒的優良兒童讀物。你孩子的導師或圖書館員或許也有建議提供。

●過程中要有耐心

要成為有效的情緒教練，你必須給孩子一些時間去表達感情，不要變得不耐煩。假如孩子是傷心的，就讓他哭。假如她是忿怒的，她可以跺脚。你可能覺得與孩子在這種情況下相處並不是很自在。你會覺得自己成了麻煩的代名詞。

但無論如何請記住，情緒輔導的目的是探究及瞭解情緒，而非壓抑它們。忽視孩子消極的一面、不理會它、期望它會自己解決掉，在短期內是較輕鬆的做法。你會產生一種迷惑的觀念，認為時間可以治療傷口。你所抱持的這種態度在短期內比較不會有麻煩，但長久之後就會出現較多的困擾。當問題被忽視，而孩子在情緒上也與你疏遠時，要解決問題就更不容易。

相對地，養育的報酬即是來自對孩子感情的關注。在同一時間內，要接受、肯定小孩的情緒而又期望它會自動離去是不可能的。接納與確認是來自同理心的，即在那一刻感覺孩子所有的感受。

當你發揮同理心時，看看你是否能夠以身體的感應來體驗這個分享的情緒。就像一首感動的音樂可以激起你的情緒，使你感到興奮、難過、熱情滿腔、產生靈感。你也可以以相同的方式進入孩子的情緒，允許它們在你體內產生共鳴。如果能做到這地步，你就可以說出內心的話：「爹爹要離妳而去，這確是很難過的。」「被朋友毆打也會讓我發怒。」「我能夠瞭解在我糾正你的時候，你很反感。」

你並不常常都需要語言來溝通瞭解。你願意靜靜地與孩子坐在一塊捕捉感情的點點滴滴，就代表了千言萬語。這樣一方面可以向孩子表示你是認眞地對待這件事。它也可以表示你同意這不是芝麻綠豆的問題；它是需要思考及關注的。

當你倆在一起分享著情緒時，擁抱或撫摸背部比說話含意更深——尤其孩子是憂傷或害怕時。

有時候孩子可能說她還沒有準備好討論這個問題，這種情況大部份是要被尊重的。不過，嘗試與她訂定一個日期盡早討論。然後記下來，履行諾言繼續追蹤這件事。

一旦你努力於面對孩子的情緒，每天你都會找到機會以有意義的方式跟她溝通連繫。從一系列似乎世俗的事件，你會形成一個重要、持久的結合力。你會變成我的朋友啓發性心理學家蘿絲・派克(Ross Parke)所謂的「時機收藏家」。你會承認你倆的互動關係是珍貴的時刻並重視別人可能忽略的觀點。當你回顧時，你會覺得你和孩子的關係有如一串無價之寶的珍珠。

●瞭解身爲父母基本的權力

所謂「基本的權力」，我是指親子關係的元素，它可以給父母對孩子的惡行設規範——那是所有小孩想要及需要的。對於一些家長而言，基本的權力可能是脅迫、侮辱、或毆打。那些過份放任的父母，可能會覺得完全沒有基本的權力。至於情緒輔導的父母，基本的權力是父母與孩子間情緒的結合力。

當你和孩子情緒上有連繫，設規範是來自你對孩子惡行的眞正反應。你的小孩會對你的忿怒、失望、及憂慮有反應，所以你不必求助於負面的後果，如毆打及「暫停」來增強你的感受。你和孩子之間互相的尊敬與關懷變成你設規範首要的工具。

由於尊敬與關懷對於彼此的反應是很重要的，所以顯而易見，在糾正孩子的行爲時，避免損壞人格的評語及侮辱是有決定性的影響。一個曾經挨罵或被喊爲懶散的、小氣的、或愚笨的孩子很可能對報復家長比取悅他們更有興趣。

假如你過去曾經侮辱或毆打孩子，你或許會懷疑是否有可能將你身爲父母的基本權力轉移到根植於分享正面情感的基本的權力。我相信這種改變是有可能的，但它需要許多的努力。你需要糾正舊式的管訓模式，將情緒輔導整合入你與孩子的互動關係中。你需要努力地去建立一個以信任爲基礎而非脅迫的關係。

你努力改變的同時，記住漢・金諾的兩個原則也有幫助，即：一、所有感覺是可允許的；不是所有行爲是可允許的。二、親子的關係不是民主的；是由父母決定何種行爲是可允許的。

假如你的孩子是十或十幾歲左右，你可以直接討論這種基本權力的問題，尤其如果跟規範有關。嘗試透過協議與互重的討論而達成一些規定（及犯規的後果）。要有堅定的態度——尤其當它關乎孩子的安危及幸福。身爲一個成熟的大人，你比較知道甚麼樣的行爲是危險的。記住，研究發現那些父母能夠掌握小孩的朋友、活動、及處所的孩子比較不會有危險行爲的傾向。他們比較不會陷入有偏差的同輩團體，與警察發生衝突，藥物濫用，犯罪及鬧惡作劇，男女雜交，及離家出走。

一些家長在轉入較積極的基本權力時會比別人有較多的問題。尤其當信任、尊重、及關心已從親子關係中逐漸消失時，情況會更嚴重。家庭治療在這時候常常是頗有效的，而我也鼓勵家長考慮這個選擇。假如治療師想與你的孩子有單獨面談的時間，你不需要感到驚訝。要知道治療師可以作爲你孩子在「家庭法庭」的辯護律師。很難說家庭治療需要多久的時間才會見效。就像看牙醫，要視問題有多久被忽略而定的。但是研究顯示，家庭治療師在發展一些相當有效的方法幫助家庭重建信心與溝通的橋樑。因此，希望還是存在的。

●相信人類發展的積極本質

我對孩子認識的愈多，我愈相信人類發展的自然方向是一股非常積極的力量。我這一番話是指孩子的腦袋天生就是尋求安全感以及愛、知識、及瞭解。你的孩子想要成爲一個親切、有愛心的人。她想探究這個環境，找出閃電的原因，狗身體內的秘密。他要知道甚麼是對、甚麼是錯、甚麼是好、甚麼是壞。她想知道有關世界的危險以及如何個去避免它們。他很想做正確的事情，變得更強更有能力。你的小孩想要成爲你欣賞及疼愛的那種人。

具備這些偏向父母的自然力量，你可以信任孩子的感覺，並且知道自己不是孤單的。

不適合情緒輔導的時刻

很難確實地說，家長可以多頻繁地運用情緒輔導來建立親密關係以及教導處理情緒的技巧。孩子每天在成長，學習與別人相處，經受一般的危機，他們的生活似乎充滿了實施情緒輔導的機會。

但是，情緒輔導不應該被認爲是所有負面情緒的一個萬能藥。原因之一是，它需要某種程度的耐心與創意，所以父母需要在一個相當專心（平靜是更好）的心情下才能處理得好。假如孩子是相對地有可教性也有幫助。在戰略上，你當然希望逮住孩子最能吸收的時刻。

當然也有應該延後實行情緒輔導的情況，這些包括：

●當你在趕時間

今天許多家庭都在趕時間，一家人希望按照預定計劃去日間托兒所、上學及上班。雖然在這些緊張的趕時間當中，孩子常常會浮現情緒，但這通常不是情緒輔導的良機，因爲情緒輔導需要一段過程。孩子不是機器人，並且我們不能期望他們根據一個隨意的時刻表渡過情緒的經歷。

我們組內的一位職業婦女正確地描述了她嘗試倉促完成對孩子情緒輔導的愚蠢行爲。某天早上，她在赴一個重要的客戶會議的途中，打算把女兒寄放在日間托兒所。就在到了日間托兒所的門前，四歲的女兒突然冒出一句話：「凱蒂老師不在，我不要留在這裡。」

這位女士看看手錶，知道她如果不要遲到，大概只能花五分鐘在這件事上。她在腦海裡回想著情緒輔導的五個步驟後，她使女兒坐下開始要處理這問題：「妳似乎不安……告訴我發生甚麼事情……妳因爲妳喜愛的老師請假而感到煩惱……我瞭解妳的感受……妳覺得今天沒有她在身旁而難過……我等會就要走了……我們要怎麼做使妳感到比較舒服呢？」

這期間，她女兒坐在那裡激動地回答並努力強忍著眼淚。時間一分一秒地過去而仍然沒有解答。女孩似乎感到母親的緊急，而這壓力只使事情更糟糕。母親問的愈多，女兒變得愈不安。經過二十分鐘的努力，母親終於放棄並將嗚咽的女兒推到代課老師的臂彎裡。她像瘋婆子似地開快車衝往約會地點。「當我抵達時，我的客戶已經離去。」這位女士嘆著氣說。

回想這件事時，她看到自己的錯誤。「我給她一個混合的訊息。我告訴她我很關心並願意幫忙，但我又瞄著手錶，而她也明白這個意思。那樣更加深了她被遺棄的感受。」反省時，這位母親認爲她應該直接了當地告訴女兒她那天早上必須待在日間托兒所，沒有商量的餘地；而之後她們會再討論她的「不舒適的感覺」。然後，將女兒留給代課老師去處理，也讓女兒以發展中的社交技巧來調適自己，她就可以準時赴約了。

在理想的國度裡，我們永遠有時間與孩子坐下來談論發生的情緒。但對於許多家長而言，這不是常常有可能的。因此，重要的是每天擬定一個時間——最好同一個時間——讓你可以在沒有時間的壓力或干擾下與孩子交談。有年幼孩子的家庭常常在就寢前或洗澡時如此做。至於就學的小孩和少年，在你們分工合作做家務時，譬如洗碗筷或摺疊晾乾的衣物時，更能開懷地聊天。定期開車送往音樂課或其他戶外活動更提供了不少的機會。利用這種時間交談，保證你那些問題不會因爲時間的受限而無法解決。

●當你有聽衆時

唯有當你有時間和孩子單獨相處時才比較容易建立親密和信任。這是爲何我建議情緒輔導要一對一的實施，而不是面對其他家庭成員、朋友、或陌生人時。如此，可以避免使孩子尷尬。另外，你們可以比較自由地、誠實地反應，而不必擔心別人會怎麼看。

這個勸告對孩子之間有競爭問題的家庭尤其重要。我們養育組內的一位母親陳述如何嘗試利用情緒輔導的技巧來排解孩子之間的紛爭。她說：「每當我對一個孩子產生同理心時，另一個就有反彈。」

在最佳的狀態下，一位客觀的家長可能做到調解者的功用，而讓孩子倆共同解決他們的糾紛。情緒輔導需要更深層的同理心與傾聽，要公開地對兩個衝突中的人，不偏不倚地都有同理心是不容易的。因此，假如父母或孩子都不必擔憂另一個孩子對他們所說的話提出觀點、干擾、或反對，那麼，一般在這種情況下的情緒輔導才會比較有效。即是說如果孩子有時間單獨地與有同情心的父母相處，他可能較願意御下自己的防禦，共同分享眞誠的感情。

重點當然是要給于每個孩子相同的時間。同樣地，與每一個孩子訂定一個固定的、特定的、單獨的時間來交談才能保證情緒輔導有效。

家長也應該察知他自己的同輩朋友及親戚（尤其是祖父母）可能會影響他們對孩子發揮同理心及傾聽的能力。要同時接受孩子的情緒並且聽取自己母親的判斷（用說的或不用說的）：「那孩子需要的只是好好地揍他一頓」可能會很吃力。

假如你處在一個需要實施情緒輔導的情況裡，但又礙於別人的在場，就記著稍後再做。你可能要告訴她（以不使她困窘）你打算下回再討論。然後確實履行諾言。

●當你太煩惱或太累無法進行有效的情緒輔導時

情緒輔導需要某種程度的創作意念和力量。極端的忿怒或虛脫會影響你明確地思考和溝通的能力。你可能發現自己就是無法聚集足夠的耐心和意願去施展同理心及仔細傾聽。除此之外，有時候你眞的太疲乏無力去應付孩子的情緒。這時候，等你獲得充份的休養或慰藉，恢復生氣後，才實行情緒輔導。這可能只是代表去散散步，小睡一會，泡個熱澡，或出外看一場戲。假如你發現這些虛脫、壓力、或忿怒仍然持續地干擾著你與孩子相處的能力，你或許可以考慮改變一下生活方式。心理健康顧問或保健中心的工作者可以幫你挑選一些可行的解答。

●當你需要討論嚴重的行爲不端時

有時候你必須採取某種的管訓，它超越了第五項步驟（第一三三頁）內提及的簡易的設立規範。那是當孩子的行爲方式使你不安，並且明顯地違背了你的道德規範，你就要表達你的不贊成。雖然你可能瞭解孩子惡行背後隱藏情緒的意義，但這不是情緒輔導的時機。可以延緩對孩子惡行背後隱藏的情緒做情緒輔導，當前是要明白地聲明你認爲孩子的行爲是錯的以及你爲何有這樣的感受。表達你忿怒和失望的感覺（以不傷人格的態度）以及談論你的價值觀也是合適的。

那些對孩子可能「故意表演」的原因感到敏感（並覺得要負責任）的家長，會覺得這是艱辛的教訓。譬如，一對正進行著離婚手續的夫妻，發現十三歲的女兒一直在逃課時，他們可能不知所措。由於他們瞭解女孩的混亂及傷心，他們可能不想處罰她，而直接處理女孩對離婚的感受。

但無論如何，替孩子尋找行爲不端的藉口，將來只會對她造成傷害。最佳的處理方式是視她的曠課爲一個問題，而她對離婚的感受又是另一個問題。

讓我給你一個在比較不那麼極端的狀況下的例子。當我的女兒莫莉亞三歲時，我們有一位賓客在家裡住了幾天。某天晚餐後，我發現莫莉亞手握著一隻紅色麥克筆，孤獨地站在起居室裡。在她面前那張我們新購入桃紅色沙發的手把上，展示著一些鮮紅色、可惡的塗鴉。

「發生甚麼事啦？」我很明顯生氣地詢問著。

莫莉亞吃驚地睜大著眼睛，天眞地抬頭看著我，手中仍然緊握著那隻筆。「我也不知道，」她激動地說著。

好，我心想，現在我們有兩個問題：破壞行爲和撒謊。那時候，我也知道過去的二十四小時內，莫莉亞並不是個快樂的女孩。我想她是由於來訪的賓客干擾了她每日例行的計劃而感到厭倦。我的直覺告訴我她妒忌我和妻子花許多時間與他交談而沒有跟她玩耍。這或許可以解釋她用紅筆的「故意表演」——她知道是錯的行爲。而撒謊的動機也易於明白；她想躲避我的發怒。

我知道自己可以以同理心反應，說一些類似這樣的話：「莫莉亞，妳是否因爲生氣所以在沙發上寫字？」然後，我可以附加一句：「我知道妳在發脾氣，但在沙發上寫字是不行的。」但是所有這些都比不上眼前最大的問題：莫莉亞的謊言。所以，我反而決定延遲討論有關莫莉亞的忿怒與妒忌。那晚我們只談關於說眞話的重要性。我告訴她我對於沙發上的記號很生氣也很不安，而她對於這些記號撒謊更令我不安。

最後，當我們將沙發上的污跡擦掉後，莫莉亞、她媽媽、和我也談到引起這件事的情緒。我和妻子傾聽並試著瞭解莫莉亞的忿怒、孤單、及失望。我們與女兒討論其他可以表達她情緒的方法，譬如，與我們談關於她的感受，以及請求受到關注。

雖然我沒有在事情發生後立即向莫莉亞實行情緒輔導，但我知道由於先前的輔導，我與女兒在情緒上的連繫，在這次事件中發揮了作用。當孩子與父母有著強烈的情緒連繫，父母的不安、失望、或忿怒已對孩子造成足夠的痛苦，如此，它本身也成為一個訓導的事件。你孩子的目的也就變為要修復這層關係，回復她覺得與你情感接近的狀態。她也學到為了要獲得情緒慰藉，自己必須遵從一定的規則。

●當孩子為了操控而「假裝」一種情緒

這裡，我指的不是一般的鬧彆扭和發脾氣；我是說那種所有孩子在某些時候為了「得逞」而表露假裝的、不眞實的鬧彆扭和發脾氣。

讓我給你一個例子：在我們的養育組內一對夫妻，他們五歲的孩子在發現父母隔晚打算外出慶祝他們的週年慶，而留下他給褓母照料後大發脾氣。他們與蕭恩長篇大論地談他的感受，但仍然沒有結果。男孩堅持要讓他在這種情況下感到舒適，唯有帶他一起外出。

最後，這對夫妻放棄討論，把哭號的孩子獨自留在他房內。他的哭喊持續了約三十分鐘，期間父母不時地探頭查看。到了一個時候，這位父親說他看到蕭恩平靜地砌著積木而同時繼續他那很眞實的哭聲。「他抬頭看到我，就哭得更兇。」這位父親形容：「然後我看到他裂出一絲微笑，他知道這招失敗了。」

蕭恩原本希望他的哀哭會使父母改變主意。但這不代表他對於要留下來與褓母一起已經息怒了。當父母一方面嘗試以同理心傾聽並進行情緒輔導，而孩子另一方面卻要以自己的情緒來操控他們，這樣是沒有結果的。他們必須明確地向孩子表示他無法利用哭號來控制父母。這就是那位父親的所爲。他溫和而堅定地告訴男孩：「我知道你對此事很生氣，但你的哭喊不會讓媽媽和我改變我們的主意。我們打算外出晚餐，而你要和褓母一起留在家裡。」這時候，男孩終於瞭解這個局面是無法協商的，於是他停止哀號。過了一會，這位父親問蕭恩他是否願意想一些法子，讓跟褓母在一起有一個愉快的夜晚，譬如玩遊戲，準備點心等等，而孩子也接受了。

當你決定延緩實施情緒輔導，你和孩子都必須作承諾盡快再來討論這問題。這跟在第二章內提及的忽視型及反對型父母所用的策略十分不一樣。對他們而言，忽視情緒是最重要的養育作風。他們對強烈的情感感到很不自在，所以完全不加以理睬。在這裡，我只是向你建議等到情況似乎比較會產生結果時才進行討論。

假如你眞的延後討論問題，告訴孩子你不久就會再回來討論，並確定你履行諾言。無法履行對孩子的諾言，大概還不至於像媒體所渲染的有那般嚴重的後果。小孩是十分公平、十分瞭解的，而且他們會給你許多第二次的機會。無論如何，履行諾言是尊重的一種形式——假使你以身作則示範好榜樣，孩子也會有回報的。

我同時也鼓勵父母只有當他們眞的覺得有必要時才延後討論問題。通常，你應該盡量騰出時間來進行情緒輔導。對一些人來說，這表示不要再認爲談論感情是有點「放縱」或「寵壞」孩子。

正如我們研究得知，接受情緒輔導的小孩，當他們學會了調整自己的情緒，他們的行爲表現變得良好。專注在負面的情緒也不會「把事情弄得更糟糕」。假如孩子的問題十分棘手，家長應該支持他，讓他學習如何處理。假如眼前的問題不嚴重，對它的討論更不會帶來傷害。

最後，我重述情緒輔導不應該被視作某種神奇的處方，可以消除家庭的衝突及淘汰設規範的必要。

可是，情緒輔導有助於拉近你與孩子之間的距離。它是你倆一起解決問題、維繫合作關係的基石。孩子的感覺使他們對你產生信任。他們知道你不會「爲了他們著想」而批評或損傷他們。

你的孩子也不會有一種許多大人都很熟悉的感覺——「我十分愛爹爹，但我絕不可能眞正地跟他談話。」當你的孩子遭遇問題時，他們會向你求援，因爲他們知道你不只是提供陳腔濫調的冗長演說，你是確實地在傾聽。

然而，情緒輔導眞正的好處是，它的效果會持續至你孩子進入少年期。到那時候，你的孩子會將你的價值觀融爲他內在的一部份，他們也會因情緒智力而受惠；他們知道如何去集中注意力，如何與同輩相處，及如何處理激烈的情緒；他們也能避開其他沒有這些技巧的小孩容易陷入的危險。

測驗情緒輔導的技巧

這項練習是利用各種情緒激烈的狀況，來測驗你對孩子情緒及父母處理手法認知的能力。它也提供你一個機會練習如何對孩子負面的感受做情緒輔導式的反應。

在每一個項目裡，提供了一個「錯」的父母反應。然後你被要求在這情況下，猜測孩子的感受及討論父母的處理方式。最後，你被要求提供一個新的、確認孩子情緒的做法。

實例：孩子在一家大的百貨公司裡走失了，而家長十分替他擔憂。過了一會，一名店員尋獲一位明顯不安的孩子，也幫他找到了父母。

錯的反應：「你這個笨小孩，我爲了你都快發瘋了。我不會再帶你逛公司了。」

討論家長的處理方式：家長嚇壞了，處理的方式是爲了孩子的安全，同時也防止同樣的情形發生。

孩子的感受：恐懼。

對的反應：「你一定是受了極大的驚嚇，我也嚇壞了。來吧，讓我抱著你一陣子，然後再談談發生的事情。」

1.孩子放學回家後說：「我永遠不再去那所學校上課！老師在我的朋友面前向我吼叫。」

錯的反應：「你做了甚麼事才讓老師向你吼叫？」

討論家長的處理方式：

孩子的感受：

對的反應：

2.在浴盆裡，你的孩子說：「我憎恨我的兄弟。我希望他去死。」

錯的反應：「這話太嚇人了。在這屋子裡，我們是不這樣子說話的。你不憎恨你的兄弟，你是愛他的。我不要再聽到你這樣子說話。」

孩子的感受：

對的反應：

討論家長的處理方式：

3.晚餐時，你的孩子說：「哎呀，我討厭這道菜，我不吃。」

錯的反應：「你有得吃就吃，並且你要喜歡它！」

討論家長的處理方式：

孩子的感受：

對的反應：

4.你的孩子外出回來說：「我恨那些小孩。他們不跟我玩，他們對我眞是小氣！」

錯的反應：「假使你不是那麼一個膽小鬼，他們會願意跟你玩耍的。不要小題大做。你要起來反擊。」

討論家長的處理方式：

孩子的感受：

對的反應：

5.你的孩子說：「我希望今晚不是你來看顧我，我希望是（塡充）來看顧我。」

錯的反應：「多麼可怕的話！你是個不關心別人的小孩。」

討論家長的處理方式：

孩子的感受：

對的反應：

6.你孩子的朋友來訪，你孩子說：「我不想跟你分享這個玩具。你不准玩它！」

錯的反應：「你是個自私的小孩，你應該學習去與別人分享。」

討論家長的處理方式：

孩子的感受：

對的反應：

答案

雖然這些練習不只有一個答案，但以下的回答是養育法典型的情緒輔導作風。注意「錯」與「對」的家長反應如何有不同的家長處理方式。但「對」的反應則對孩子發揮同理心並提供指導。

1.討論家長的處理方式：家長希望孩子在學校有傑出的表現。並且被老師喜歡。家長擔心孩子在學校犯了錯，惹老師的不滿。

孩子的感受：困窘。

對的反應：「那一定讓你很困窘。」

2.**討論家長的處理方式：**家長希望兄弟倆和睦相處。

孩子的感受：忿怒。

對的反應：「我知道你的兄弟有時候確實讓你氣憤和煩躁。發生了甚麼事情？」

3. **討論家長的處理方式**：家長希望孩子喜歡已準備的食物，同時家長不希望再下廚。

孩子的感受：厭惡。

對的反應：「今天的菜餚似乎不對你的口味。你想吃些甚麼？」

4. **討論家長的處理方式**：家長希望孩子可以與其他的小孩安樂地相處，同時不要使他或她的感情那麼容易被傷害。

孩子的感受：憂傷。

對的反應：「那一定傷透你的心，告訴我發生了甚麼事。」

5. **討論家長的處理方式**：家長希望孩子對父母今晚所花的時間與精力有所感激。

孩子的感受：憂傷。

對的反應：「我能夠瞭解你確實想念著（填充），我也想念著（填充）。」

6. **討論家長的處理方式**：家長希望孩子與訪客可以共同分享樂趣，並且表現大方。

孩子的感受：忿怒。

對的反應：「有時候要分享一樣心愛的玩具是很困難的。讓我們把這個玩具收起來，拿別的你比較願意與別人分享的玩具吧。」

5 結婚、離婚及小孩情緒健康的狀況

詢問那些父母感情不睦的成人，請他們描述童年的回憶，你很可能會聽到一些傷心、混亂、失望、及辛酸的故事。他們可能記得，目睹父母離婚時自己是多麼地迷惑及痛苦。又或者他們的父母是屬於那些頑強的夫妻，雖然婚姻不如意，但「爲了孩子的幸福」，決定留在一起。假如是這樣的話，你會知道小孩子目睹深愛的和最需要的兩個人早晚互相傷害著對方的痛楚。

當母親和父親彼此敵視和輕蔑，不論他們是結婚、分居、或離婚的狀況，折騰的是孩子。因爲結婚姻——或離婚——的要旨是給孩子製造一種「情緒生態學」。就像一棵樹會因環境中空氣、水、及土壤的品質而受到影響，孩子的情緒健康也會被他們周圍的親密關係之品質所決定。身爲一位家長，你與孩子另外一位家長的互動關係會影響孩子的看法及成就、情緒調整及待人處事的能力。一般，如果父母互相關愛及支持對方，他們孩子的情緒智力發展迅速。但經常暴露在父母相處不睦的孩子可能會遭遇嚴重的危機。

雖然這對正在經歷婚姻衝突的家長是很令人不安的消息，但希望還是有的，尤其那些有孩子的夫妻（結婚或離婚的），他們有必要改進他們之間的關係。我們現在知道傷害孩子的不是父母之間的衝突，而是他們處理爭執的方式。我們也發現情緒輔導可以產生緩衝的作用。

即當父母可以進入孩子的情緒世界，協助他們處理負面的感受，並引導他們渡過一些家庭的壓力時，他們的孩子在面對許多家庭騷亂，包括離婚等不良的影響時，才有所庇護。直至目前，情緒輔導是唯一已被證實對抗這些有害影響的緩衝器。

最後，我們也發現一位好家長走的路也是改善婚姻要走的路。家長與孩子之間的人際作風——情緒察知、發展同理心、及接受共同地解決問題——也是他們婚姻中一個好的作風。除了可以成爲較好的父母，他們也改善了與配偶的關係。

在探究情緒輔導如何有保護的功能前，先瞭解夫妻衝突及離婚如何影響孩子是有幫助的。

夫妻衝突及離婚對孩子的傷害

透過我們與有小孩子的家庭所做的觀察及實驗室的研究，我和研究組裡的同事發現某些夫妻的衝突，對孩子身心的健康及與同輩相處的能力，有極深遠的影響。我們的資料顯示父母的婚姻有批評、設防、及輕蔑的特徵時，他們的孩子比較會表現出反社會的行爲並對玩伴有侵略性。這些孩子變得不安時，要調整自己的情緒、集中注意力、及自我的安撫都比較困難。另外，他們的母親報告這些小孩健康的問題如咳嗽和傷風的次數較多。他們看來也像是承受著較多慢性的壓力，因爲他們的尿液含較大量的「兒茶酚胺」，那是一個與壓力有關的荷爾蒙。

爲了要估計孩子與同輩要好的程度，我們在孩子的家中利用三十分鐘，觀察他們一場沒有人管理的遊戲。每個家庭邀請孩子的「死黨」參與這實驗的一部份。我們觀察孩子在遊戲時彼此間的表現以做評估。譬如，他們是否在一個需要高度合作的幻想遊戲中花許多時間？抑或他們比較偏向玩「平行遊戲」——即各玩各的，並沒有太大的企圖要共同遊戲？我們也留意研究組裡孩子明顯的負面行爲——譬如，爭吵、威脅、中傷、搬弄是非、及身體侵略等等。如果發生爭論，孩子有否嘗試找解決的辦法，或他們的衝突是否導致遊戲的解散？先前的研究告訴我們孩子將來的生活會由於這種行爲而有重大的差別；負面及反社會行爲是他們幼年時被同輩排斥的一個主要原因。我們也知道孩子交友的失敗是顯示精神問題危機的一個指針。

當我們將這些遊戲場合的資料與我們在第一章內從家庭面談及研究室實驗的資料作比較

時，我們發現婚姻關係與孩子交友的行爲有深切的關係。父母婚姻不和的孩子，比父母婚姻融洽的孩子，較常獨自地遊玩，並且與玩伴發生較多的磨擦。

其他許多社會科學家對於來自婚姻觸礁的孩子的行爲問題也有類似的發現。總括而論，研究顯示夫妻衝突與離婚皆使孩子將來在發展的軌道上出現嚴重的問題。一些問題，如缺乏人際間的技巧及侵略的行爲，可能在童年的早期就開始表現出來，引起同輩的排斥。父母由於被自己的問題所困擾，放在孩子身上的時間和關注也就較少，因此孩子四處遊蕩，在沒人看管的情況下，就傾向一些比較出軌的同輩團體。在青春初期，許多來自破碎家庭的孩子已經走入歧途，跌入陷阱，包括學業退步、未成年性行爲、濫用物質、及少年犯罪。另外有一些不是很明顯的證據表示，來自發生高度衝突的家庭或離婚案例的孩子經歷較多的憂鬱、焦慮、及退縮。一個由維吉尼亞州大學的 E. 瑪菲絲・希德林頓(E. Mavis Hetherington) 指導的研究，發現來自離婚家庭十幾歲的孩子，他們發生有臨床意義的精神健康問題的比率是幾乎一般人口中同年齡的三倍。

社會科學家對於爲何來自問題家庭的小孩子有較多的行爲及交友的問題，提出了各種的理論。有些認爲父母不和或者與前任配偶有爭執，比較沒有時間和精力與孩子相處。離婚和導致離婚的衝突使家長精疲力竭、心神分散、及意志消沉，無法有效地管訓孩子。

在父母分居或離婚的時期，以及離異後的頭兩年，E. 瑪菲絲・希德林頓說那是親子關係嚴重瓦解的階段。在這期間，E. 瑪菲絲・希德林頓說：「一個心神被佔據和／或情緒被干擾的家長與一個困苦、有所需求的小孩，要互相支持及安撫似乎是有困難的，甚至只會加重雙方的問題。」至於撫育孩子的離婚婦女，她附加說：「經常變得有短暫的心情不定、沉默、及對孩子有不一致的處罰。」而問題不一定會隨時間消失，希德林頓認為：「在控制及監管孩子的行為上有困難是離婚媽媽要面對的最持久的養育問題。」

這些發現回應了我們在研究組裡對婚姻出現壓力的參與者的觀察。這些家長比較冷漠及不理睬。他們也似乎比較不會規範孩子的行為。

許多專家認為婚姻出現壓力的家長除了缺乏提供好的養育法外，也給孩子如何與別人相處的一個壞榜樣。他們認為孩子眼見自己的父母以戈相待或互相蔑視，孩子在交友時就比較會表露這種行為。他們沒有角色模範來教導如何發揮同理心及共同解決問題，於是孩子依據父母的劇本有樣學樣——所謂敵意與防禦是衝突的恰當反應；好侵略的人能夠得逞。

雖然說孩子生活在父母發生衝突的負面影響下而學習他們的行為模式是合理的看法，但我認爲婚姻不和可能對孩子還有一個更深、更重的打擊——尤其那些從小就暴露在嚴重的家庭問題中的小孩。我覺得生活在父母衝突之下的壓力，可以影響嬰兒自主神經系統的發展，以致決定了這孩子待人處事的能力。

無可否認，孩子在目睹雙親的爭執會產生痛苦。研究顯示，即使幼小的孩子對父母的吵架也會產生一些生理變化的反感，譬如心跳和血壓的增加。學術心理學家 E. 馬克・顧明斯 (E. Mark Cummings) 曾經研究孩子對大人爭吵的反應，他發現小孩一般都以哭喊、緊張僵直地站著、嗚住雙耳、愁眉苦臉、或請求離開爲反應。對於忿怒非語言的反應可以在小至六個月的嬰孩身上發現。然而嬰孩或許不懂父母爭執的內容，但他們知道事情出了毛病而有激動和流淚的反應。

我和同事在研究組裡的家庭觀察到這類的反應。譬如，參與我們對新婚夫婦的研究其中的一對夫婦，帶來他們三個月大的女兒做觀察。較早的面談顯示家長的關係是十分具競爭和好爭論的——在這項實驗中這些特徵變得更明顯。在被指示與嬰兒玩時，做父親的輕搔孩子的脚吸引了她對他的凝視，而做母親的則發出咿唔的聲音試著奪走嬰兒對父親的注意力。這衝突似乎使她迷惑又激動，結果她轉向別處並開始哭。同時，她的心跳增加。雖然父母盡力地安撫她，但是嬰兒的心跳回復正常速度的時間卻是異常的長。

雖然我們對嬰兒的研究仍未完成，這樣的觀察結果卻加強我的信念，認爲家長的衝突始自嬰兒期——這是孩子自主神經系統正在發展的階段——就要付出代價。在頭幾個月裡，孩子遭受的任何情緒的事件，都可能對它的自主狀態——即孩子調整神經系統的能力——有嚴重和一輩子的影響。有否回應嬰兒的哭喊；她是否經常被周圍的感覺所安撫或刺激；餵育她、給她洗澡、及和她玩耍的人是否平靜關心或焦慮沉鬱——這全部關係到嬰兒對刺激的反應、自我的平靜、以及從壓力中恢復的能力。

待孩子成長並與其他人接觸時，這些能力就愈來愈重要。孩子爲了要集中注意力、專心學習、「解讀」別人的肢體語言、臉部表情、及社交暗示，都需要懂得調整自己的情緒。缺乏這些情緒智力的成份，孩子在進入社交及學校的環境時，是處於一個不利的狀態。

我們和其他許多的研究都發現離婚和高度衝突的家長，他們的孩子成績比較差。老師通常對來自破碎家庭的孩子，在性向與智力的評分上，分數打得都比較低。在大西洋月刊寫專欄的社會評論家芭芭拉·達福·魏德海 (Barbara Dafoe Whitehead) 就如此形容這個情況：「我們當今教育最大的悲劇是許多美國小孩沒有上學，不是因爲智力或身體有缺陷，而是因爲他們情緒上的無能……老師發現許多孩子心神分散，他們被家庭生活激烈的事件所佔據，心情困苦以致連一些輕鬆的作業如乘法表都無法集中精神應付。」

全國兒童調查約談了一批有全國代表性，屬於童年的中期、青春期、及成年早期的樣本，它的分析顯示孩子成年後仍舊背負著這些問題。研究員尼可拉斯・季爾 (Nicholas Zill) 檢視二四〇名十六歲前父母便已分居或離婚的年輕人的資料。就算摒除父母的教育程度、種族、及其他因素的變化，季爾發現來自破碎家庭十八至二十二歲的年輕人，比其他的年輕人，表露高度的情緒煩惱或行爲問題的比率，前者的可能性是後者的兩倍。他們在高中輟學的比率也是後者的將近兩倍。在輟學生中，那些來自瓦解家庭的孩子最終也不太可能獲得其他的學位證書或 GED。

不過，季爾的分析中，最令人痛心的大概是離婚與親子關係的連繫。他的調查發現離婚家庭中的年輕人有百分之六十五與父親關係惡劣，而那些父母沒有離婚的年輕人則只有百分之九。季爾對這項結果的評語是「幾乎是不令人驚訝的」，因爲事實上，在研究組裡大部份分居或離婚了的父親並沒有給與經濟上的支援也沒有和孩子保持定期的接觸。同時，許多孩子與母親的結合力似乎也受到離婚的打擊。來自離婚家庭的報告，顯示大約有百分之三十的孩子與母親的關係淡薄，而那些沒有離婚的案例，則只佔了百分之十六。

「大部份離婚家庭已成年的孩子至少與一位家長疏遠，一小部份則疏遠兩者，這個事實，我們認爲是造成關注社交問題的合理原因。」季爾說，「它表示許多這些年輕人特別容易受外在影響，譬如來自男朋友或女朋友、其他的同輩、代表權威的大人、及媒體的影響。這些影響雖然不一定是負面的，但它們不太可能足以取代與家長穩定及積極的關係。」

其他的研究顯示父母的離婚如何影響人的一輩子。在各類的研究裡，父母離婚的成人報告有較多的壓力、對家庭與朋友的滿意度較低、有較多的焦慮、以及處理一般生活問題的能力低弱。

根據最近一項長期追蹤的調查，我們發現父母的離婚甚至可能減短人的壽命。自一九二一年起，路易士・特克曼 (Lewis Terman) 爲了要測試他對遺傳性智力的理論，對一千名天賦才能的加州兒童做社會心理及智力發展的追蹤研究，每隔五到十年就做一次調查。爲了要尋找社會壓力如何影響壽命，在利佛塞加州大學的豪威・菲德曼最近調查了特克曼研究的參與者之死亡證書，半數已死亡。在一九九五年，菲德曼報告那些在他們二十一歲前父母離婚的參與者比那些父母在一起的參與者早死了四年。(相對地，他發現在參與者童年時家長死亡的個案，對壽命沒有太大的影響。他注意到這與其他揭示父母離婚和分居對孩子往後心理上的問題比雙親的死亡有更深的影響的研究是一致的。）菲德曼也發現離婚父母的小孩，自己也比較會離婚，但他們本身的離婚並不一定造成他們較短的壽命。菲德曼的結論認爲父母離婚是年輕人在社會錯綜的生活裡，預測他們往後貿然死亡一個關鍵的事件。

有這麼多表明了離婚對孩子造成的有害影響，婚姻不睦的家長可能懷疑爲了孩子的幸福，是否最好要維繫一段悲傷無救的婚姻。我們及其他的研究對這個問題，可以肯定且響亮地回答「不是」。這是因爲某些夫妻間的衝突，像離婚一樣會對孩子造成同樣有害的影響。即是說，傷害孩子的並不一定是離婚，而是婚姻不睦裡父母之間可能產生的強烈的敵意與不良的溝通。一些婚姻問題，包括丈夫在家庭的情緒生活中退縮的情況，與孩子發生心理學家所謂「內在化」的問題有關——即孩子變得焦慮、沉悶、內向、及退縮。另一方面，在配偶之間的敵意和蔑視，則與孩子對同輩的侵略行爲有關。

既然不健康的婚姻和離婚都同樣對孩子有害，到底有沒有已證實的方法讓不愉快的已婚夫妻保護自己的孩子?我們的資料顯示是有的。減少孩子受創的途徑就是透過情緒輔導。

使孩子免受婚姻衝突的負面影響

有這麼多證據顯示父母的爭吵會傷害孩子，一些家長可能懷疑他們是否應該以避免所有類型的婚姻衝突爲目標，或者至少對孩子隱瞞他們的爭執。這不但不是個好主意，而且是不太可能的。衝突與忿怒是每日婚姻生活裡正常的成份。夫妻之間可以公開表達無可避免的差異，並且將問題解決，往後會有較愉快的關係。正如我們已知道的，家長認可負面的情緒，比較能夠協助孩子處理他們自己的忿怒、憂傷、和恐懼的情緒。

除此之外，研究顯示孩子可以從目睹某些家庭的衝突中受惠，尤其當家長以互相尊敬的方式爭執，而且很明顯地採取建設性的努力解決問題。假如孩子從未見過他們生活中的大人與別人發怒、不和，然後處理之間的爭論，他們就錯過了促進情緒智力重要的一課。

重點在處理與孩子另一位家長的衝突，使它成爲一個正面的教材而非對孩子有害的經歷。當然，知易行難——尤其考慮到配偶（或前配偶）可以如何刺激對方的情緒。然而，最近的研究給父母提供一些如何與對方相處融洽的線索，以保護及造福孩子。

在婚姻中實踐情緒輔導

我們對孩子情緒需求的研究明確地顯示當家長傾聽、瞭解、並認眞地對待孩子，他們是最快樂、最有成就的小孩。但這些習慣在父母身上及他們的婚姻生活上又有甚麼樣的影響呢？

爲了尋找這個問題的答案，我與同僚檢視在研究組裡被標爲情緒輔導的家長的婚姻。(這些是對自己與孩子情緒有察知的男女。他們傾向於將孩子負面情緒的時刻視爲傾聽的機會。他們對孩子發揮同理心、立規範、並提供如何料理負面情緒及如何解決問題的指引。)

除了獲知他們如何以家長的身份扮演情緒教練的角色，我們也搜集關於他們婚姻生活詳細的資料。在長時間的面談裡，我們知道他們婚姻關係中的經歷和他們對婚姻的觀念。在研究室實驗裡，我們觀察他們解決衝突的癥結。同時，經過十一年的追蹤，我們獲知多少已離婚、多少曾考慮離婚、還有多少仍然快樂地過著婚姻生活。

我們發現情緒輔導不單只保護他們的孩子，也保護他們的婚姻。與研究組裡其他的家長比較，這些情緒教練對他們的婚姻感到較滿意與穩定。他們彼此之間表現較多的親情、喜愛、及欽佩。當這些夫妻談及他們對婚姻的看法時，他們比較容易強調伴侶的價值。他們談論時較常使用「我們」，視他們共同的生活爲一個合伙的事業。他們比較有肯定的態度、較少交戰、及較少蔑視對方。做丈夫的比較少有「石牆」的傾向，或在激烈的交流中停止溝通。他們比較會認爲夫妻有必要討論雙方負面的情感、公開問題、處理而非逃避衝突。這些夫妻較不會視他們共同的生活是亂七八糟的。他們似乎比較會說他們覺得爲婚姻而付出的痛楚及努力是值得的。

將這些發現都納入考慮後，有人可能會懷疑甚麼是首要的：快樂的婚姻抑或成爲孩子優秀的情緒教練所需的社交技巧。在我們現階段的研究，確實很難給它們下定位。一方面，如果家長有美好穩定的婚姻，他們大概比較容易在孩子身上投入他們的注意力、時間、及情感的力量。但另一方面，如果大人在傾聽、同理心的發揮、及解決問題上有熟練的技巧，他們可以同樣地在配偶及孩子身上，好好地施展這些技巧——以達到圓滿的結果。但唯有完成更多的研究後，我們才可以有把握地說，推動的因素是哪一個，但我比較相信後者是基本的力量。即是說，那些能照料孩子情緒的也同樣如此對待他們的配偶，而這種行爲對婚姻關係是好的。

我是根據我們已完成的研究——它顯示何種的婚姻互動關係可以預示婚姻的穩定性——而作的一種假說。這項研究在我的著作《婚姻成敗之原因》(*Why Marriages Succeed or Fail*)有詳細的描述。這裡要說的是，假如你將我們在第三章已探究的情緒輔導的要素（情緒察知、以同理心去傾聽、解決問題等等）施展在配偶上，你很可能得到可喜的結果。

我們在參與養育小組的父母中，發現這種作法已有了某種程度的論證。譬如，安說：在幫助她兩歲的兒子確認自己的情緒時，使她更洞悉自己的感覺。如此，也鼓勵了她和丈夫在他們的關係上發揮更多的同理心及肯定對方的情緒。

「不採用這種肯定對方情緒的技巧，必然會發瘋的，」安說，她是一位藝術工作者，「假如我說：『今天我收到一封被拒絕的信，而我很失望，』我不希望聽到丈夫回答：『啊！那妳期望甚麼？他們沒有餘暇馬上處理妳的作品。』而比較想聽到的是：『我能夠理解，妳收到這種否定的反應而感到失望。』」現在他們的兒子不是唯一需要這種關懷與瞭解的家庭成員，安和她的丈夫也成為對方的情緒教練。

避免啓示錄裡的四騎士

我們對家庭與情緒所做的長期研究中，發現婚姻不美滿或打算離婚的夫妻，很典型地，他們之間的互動、情緒、及態度會經歷某種下轉的旋渦，直到婚姻的瓦解。這個瀑布一般有四個可預測的步驟，即我所謂的「啓示錄的四騎士」。像似災禍的預兆，每一位騎士爲下一位騎士鋪路，腐蝕溝通並且使他們將注意力更放在配偶和婚姻的失敗上。根據它們對婚姻關係相對的危害程度，這四位騎士依序排列爲：批評、蔑視、防禦、石牆化。

我們發現同樣這四項元素對配偶的孩子也有害，這並不令人感到驚訝。即是說，當孩子的環境被她的父母以批評的、蔑視的、防禦的、阻擾的行爲所污染時，孩子較有可能在婚姻衝突裡受到不幸結果的折磨。

好消息是我們現在可以利用這些發現給家長建議改善雙方關係的方法，因而保護了孩子免受有害的影響。就算你和配偶正在思索如何處理這些備受爭論的問題，以下這些閃避「四騎士」的忠告對你們還是有用的。雖然這些忠告是針對已婚的夫妻，但對於已分居或離婚的夫妻，假使需要一起討論有關孩子的問題，可能也會有效用的。

●騎士一：批評

關於批評，我是指對你伴侶的個性作負面的議論，而這通常有指責的意味。表面上，批評似乎可能很類似發牢騷，但發牢騷對兩人的關係可以是健康的，尤其是當一個配偶感到對方未符合他或她的需求。但是發牢騷與批評兩者之間有一個很重要的差別，發牢騷是針對特定的行爲，而批評則抨擊一個人的品性。以下是它們的一些例子：

發牢騷：「當妳花費那麼多錢在衣服上，我很擔心我們的財務狀況。」

批評：「妳知道我們有帳單要繳費時，妳怎麼可以花費那麼多錢在衣服上？妳的表現是如此地虛榮與自私。」

發牢騷：「當你和朋友在星期五的晚上外出而不是回家，我感到寂寞。」

批評：「你是這樣地不負責任，每個週末外出丟下我和孩子在家。很明顯的，你不關心你的家庭。」

發牢騷：「我希望你不要把衣服丟在地板上。它使睡房看來亂七八糟。」

批評：「我已經很厭倦隨在你後面收拾衣物。你是不體諒和懶散的。」

發牢騷單純地聲明事實，而批評則常常帶有判斷的意見，並使用「應該」這字眼。它意味著這位拍檔是無救的。譬如，配偶可能不會這樣說：「我希望有時候妳會買草莓冰淇淋。」，反而是：「妳爲甚麼老是買薄荷味的冰淇淋？到了現在妳應該知道我最討厭那口味。」

背叛是另一個常見的主題。「我但願妳跟孩子沒有在我母親的派對上遲到，她很失望。」這樣的說法可能被取代爲：「我信賴妳會帶孩子準時到我母親家參加派對，但妳又遲到了。我早該料到妳會破壞別個家庭的慶祝。」

同時，批評常常使用整體性的字眼：「你從來不幫忙做家事。」「你經常積欠電話費。」

批評常常是鬱積的失望及未舒解的忿怒的表現。一個配偶是「沉默的受害者」，而另一個對升高的刺激毫不知情。當沉默的人無法再壓抑負面的情緒時，他或她就會「爆發」出一串牢騷。結果或許就是我所謂的「廚房挖掘」的技巧。即是批評的人將一大堆毫無相關的抱怨統統串連一起，像是：「你接我下班時，常常都遲到。你從不花多點時間陪陪孩子。你甚至不再在乎你的外表。還有，我們上次一起外出是甚麼時候？」這些槍林彈雨是如此廣泛、無法抵抗，承受的人只能將它看爲是對個人的侮辱。他或她大概感到驚嚇、被伏擊、受傷、及被犧牲的——這些全部都替第二位更危險的騎士：蔑視，開拓降臨之道。

你如何避免這種有害的批評呢？當磨擦與問題發生時，處理它們，不要等到你無法再忍受忿怒或傷害的時候才爆發。以明確的方式表達你的忿怒或不滿，並針對你伴侶的行動而不是他或她的個性或品格。嘗試不要責備。專注眼前並避免作整體的要求。避免以這些字眼開始抱怨：「你應該……」「你經常……」「你從來不……」

我們的研究發現妻子比丈夫有較多的批評。這部份是因爲婦女似乎視提出問題來引起夫妻的注意力爲她們的職責。丈夫，相對來說，比較在他們需要的時候，才處理衝突。這可能是一個不幸的組合，因爲批評常常是由於未得舒解的忿怒及性急所致的。當妻子發牢騷但無法自丈夫處得到像樣的回覆，她的忿怒無可避免地會升高成一種批評。丈夫要避免它的發生，可以將妻子的忿怒看作是改善婚姻的一個資源。當她發怒時，她只是「強調」一些抱怨。丈夫的秘訣就是在它升高成一種批評前「接受包容她的忿怒」。

●騎士2：蔑視

蔑視跟批評很相像，但程度又更深。一位配偶蔑視他或她的伴侶會眞的〝想〞侮辱這個人並造成心靈上的創傷。蔑視常常來自對你的配偶感到厭惡或厭煩，不滿他或她的行爲並要求平等。當你有輕蔑的心態時，你滿腦子都是貶低的思想——我的配偶是無知的、令人厭惡的、一個白癡。婚姻關係裡，你愈持續保有這種想法，你愈難記得你以前在配偶身上發現吸引你的特質。隨著時間，讚美、情愛、及溫柔的姿勢都隨風而逝。仁慈的行爲和眞實的感情被負面的情緒及惡劣的交流所淹沒。

婚姻已被蔑視所感染的一些常見的徵象包括：侮辱、中傷、及敵對形式的幽默，如嘲笑和愚弄。配偶可能對對方忿怒的表現，以忽視、貶低的方法反應，譬如更正發怒者的文法。肢體語言可以表露對方不値得尊敬與信賴。妻子可能在丈夫談話時眼睛瞪著天花板。丈夫可能帶著厭惡的冷笑。

一旦蔑視騎士已經舒適地進駐你的婚姻裡，要趕走他不是那麼輕易的事。不過，假如雙方願意改變自己的想法、用字、及對對方的行爲，還是辦得到的。首先，我們要傾聽自己內心的思緒。當你聽到自己重覆著對伴侶侮辱的、復仇的想法，想像將它們擦抹或刪除掉。代以用些較爲安撫的主意：「現在很糟糕，但事情不是永遠都這樣的。」或者，「雖然我感到心煩意亂（失望、忿怒、傷心、受創），但我的伴侶有値得牢記的優點。」

要記住，是由你決定，到底你配偶的行爲代表負面或正面的動機。譬如，你的伴侶沒有倒垃圾，你可以有兩種想法，你可以想：「她覺得倒垃圾有失她的身份。她是如此倔強的女人，要我和她生命中其他的人幫她處理麻煩。」但你也可以說：「她沒有倒垃圾因爲她未注意到它已經滿了。她大概心不在焉。或許她待會會去處理。」注意，正面的反應是專注在當前特定的事件，即妻子對今天倒垃圾的行爲，而不用這件事去決定一生的判決。

雖然這種做法可能很困難，但嘗試放棄在與配偶吵架時，爲了要證明你是對的而需要這場爭執的念頭。細想一下或許放棄爭論是否會比較好。

由於蔑視可以毀滅欽佩和情愛的感覺，解藥就是對你的配偶產生一些比較正面、關愛的想法。一些夫妻覺得回想開始墜入情網的理由會有所幫助。或許你會想起她是有趣的、聰明的、性感的。或者他給你的印象是仁慈的、強壯的、愛開玩笑的男子。如果有幫助的話，就一起看一些舊照片。一起渡過一些單獨的時間來照料及回復你們的關係。如此，可以在下一位騎士來臨前，使局勢改觀。

●騎士3：防禦

當一位配偶感到被輕蔑的侮辱所抨擊時，他或她變得有防禦是最自然不過的事。然而，防禦乃意味著婚姻有了大麻煩，因爲當配偶以爲自己被包圍時，他們不會互相傾聽。反而，他們經常的反應是推諉責任。(「傑遜在學校惹麻煩不是我的錯。是妳嬌縱他的。」) 或者，他們爲自己的問題找藉口。(「我本來可以參加凱蒂的獨奏會，但我必須工作到很晚。」)

交叉抱怨是另一種防禦的形式。(他抗議她的浪費，而她回過來抱怨他應該賺多點錢。)因此這種「對呀，但是…」的回應，只是將贊同點鋒頭一轉，變成一種抵抗的力量。(「對呀，我們需要輔導，但它也不會帶來任何的好處。」)

有時候，人們只是單純地將一個論點重覆又重覆地提出來爲自己防禦。不論他們的配偶提供怎樣的邏輯或額外的資料都不重要，說話者只是持續不斷地強調著同一點。

防禦也能夠以語氣聲調或肢體語言來表現。哀嘆是一個典型的例子，它表示說話者覺得自己是無辜的受害者，並且無須負起解決眼前問題的責任。雙臂交叉疊在胸前表明這個人有戒備心，另外，女性可能觸摸自己的脖子，好像在玩弄一條項鍊似的，這些都是防禦的徵象。

雖然婚姻關係裡有了蔑視，產生防禦是可以被理解的，但這對於拯救婚姻，並沒有正面的效果。因爲，這些以及其他種類的防禦都封閉了溝通的路。

放棄防禦式的溝通，關鍵在不要將你伴侶的話聽成一種抨擊，而是以十分強烈的措辭表達的一些有利的資訊。當然，這是知易行難。但想像一旦解除武裝後，會有甚麼樣的可能：你的配偶侮辱你，你不否認對方所說的，也不以別的侮辱回罵，反而發現在這項聲明裡有幾分眞實而稍做反省。你可能會回答：「我從不知道你對這件事的反應那麼強烈，讓我們多談談關於這件事。」你的配偶剛開始會很震驚，甚至可能會不相信你的反應，而可能使關係更緊張。但一段時間之後，隨著你解除武裝，你的伙伴很可能領會到你確實想讓事情有所改變，你在乎你們的關係，你希望你們能更和睦地相處生活。

●騎士4：石牆化

假使夫妻無法停戰——即他們繼續允許批評、蔑視、及防禦支配著他們的關係——他們很可能會遇見這第四位騎士：石牆化。它是當一位伙伴由於對話變得太過激烈而停止討論。基本上，這位配偶變成「像一片石頭牆」，對於另外一位配偶所說的話，他完全不表示他有聽到或有瞭解。

在我們的研究裡，石牆人有百分之八十五是男性——這並不令人驚訝，因為男性似乎對婚姻壓力有著較極端的生理反應，所以比較傾向從中逃避。這個效果可以緣於生理上基本的性別差異，或者可以緣於當男性與妻子不睦時，他比女性較不容易將悲痛的思緒揮散，反而一直被它們纏擾。在面談時問及他們的行為時，許多石牆化的男性視他們的沉默為「中立的」，而不是傷害他們婚姻的一些障礙物。男性不瞭解妻子常常因他們的安靜、無反應的態度而心煩，她們認爲丈夫的行爲是表示自鳴得意、不關心、或不贊同。而男性則認爲不講話比較好因爲說話可能使氣氛更緊張。

儘管石牆人有正面的動機，研究顯示在婚姻不幸中習慣性的沉默會有問題。

除非雙方願意交談，否則問題不會解決，而孤立的狀況更嚴重。當形勢變得情緒激烈時，男性會退縮。而女性比男性較易於從社交環境中獲得情緒的提示，反而比較不是從身體的感覺而來的。這或許是女性比男性較會留在一段失敗的婚姻裡的一個原因，即使它對她們的健康是有害的。

對於察知自己是石牆化並希望改變的伴侶，我建議在討論時，做一些有意識的努力，給配偶多些回應。就算是在交談中，簡單的點頭或喃喃低語「唔」，都向說話者表示對方有在聽。這種確認能幫助改善關係。以此作出發點，石牆人可以進升到更高層次的傾聽，譬如，向對方反映你所聽到的。

生理對壓力的反應可能扮演一個重要的角色，因此，那些希望停止石牆化並開始溝通的配偶或許想要探究如何在激烈的討論中保持平靜的新方法。我們研究組的一些夫妻在爭吵中確實注意他們的脈搏，結果證實是有用的。當這些夫妻發現他們的心跳比正常休息狀態時的速度多了超過二十次，他們就暫停討論，待他們感到較輕鬆時才回到剛剛的事情上。我建議那些想嘗試這個方法的夫妻，在半小時內重新繼續討論，這樣給你足夠的時間自過度刺激中恢復，卻又不至於有完全中斷討論的危機，妨礙改善關係的進展。在這中場休息時間，你如何處理自己的緊張與思緒是很重要的。深呼吸、放鬆自己、或有氧運動或許可以有鎮靜的效果。在這期間，儘可能放棄報復你的伴侶或使他煩惱的念頭，相對地，集中精力於思考積極、安撫、樂觀的訊息。

在我的著作《婚姻成敗之原因》（*Why Marriages Succeed or Fail*）內，有更多關於趕走這四位騎士及改善你婚姻關係的資料。對家長重要的啓示是，極可能使婚姻瓦解的因素也同樣地使孩子受苦。但假如父母——甚至離婚的父母——可以努力改善他們之間的溝通情況，他們的孩子也會受惠。

如何處理婚姻衝突

除了與配偶實踐情緒輔導，家長可以採用一些十分實際的勸言，更進一步地保護孩子免受婚姻爭執引起的負面影響所害。這種處理婚姻衝突的觀念是不要讓孩子成為你問題裡的絆腳石，或感覺孩子好歹要對你的問題負責任。保護孩子也需要情緒輔導裡那種與他們公開自由的溝通。除了你直系的家庭外，那些能給孩子社會支持的可靠力量也是重要的。

不要利用孩子作為婚姻衝突的武器

或許因為家長知道與孩子之間關係的珍貴，因此，忿怒的配偶有時候企圖「利用」這些關係來互相傷害。離婚的夫妻可能嘗試限制另一人探訪孩子的權力。這個技巧尤其在感到被叛離及無力的母親中是很普遍的，她們覺得透過這種限制對方與孩子接觸的方法是她們在婚姻關係中唯一剩餘的影響力。當無撫養權的父親無法貼補孩子的生活費而使問題更惡化時，母親更覺得將孩子隔離是合理的。

忿怒的家長或許會企圖利用扭轉孩子對另一人的情感而達到傷害配偶或前配偶的目的。它的做法是向孩子述說另一位家長的壞話（不論眞的或假的）或要求孩子在婚姻衝突中選擇站在哪一邊。

我認爲這類企圖將孩子有意地與他或她的另一位父母隔離，是衝突中的家長對孩子做的最有害的事情。對於深愛雙親、想要對兩者忠誠、同時又覺得有必要保護被抨擊的那方家長的孩子，這種行爲會爲他們製造了一種慢性痛苦的矛盾。持續地將孩子捲入婚姻的爭執會令他們感到好像自己要擔當家庭不和及修復關係的責任。很明顯地，要維繫父母的婚姻，孩子沒有甚麼可以或應該做的事。因此，這樣的行爲只讓孩子感到無助、混亂、及沮喪。

大多數的孩子需要雙親的愛與支持，特別是當他們嘗試應付父母不和所引起的混亂時。當家長利用孩子像足球般踢來踢去以達到來傷害對方時，輸家卻是孩子。

我對長期彼此對立的家長建議，在家庭生活裡實施一套「婚姻切除術」。即是說他們心中應該將家長及爭鬥中的配偶身份分離。作爲家長，他們應該盡力幫助孩子感到安全並且被雙親深愛著，即使這可能表示有一方的配偶必須放棄一些影響力與權力。

不睦的家長應該避免以批評或責備的方式來與孩子討論另一位家長，因爲這可能破壞孩子和這另一位家長的關係，或者使孩子覺得自己不忠心、內疚、以及增加更多的壓力。假如你可以眞誠地做到，接下來，就將注意力放在衝突中有建設性的觀點。在適當時機，告訴孩子你們吵架是幫助爸爸和媽媽理出他們不同的觀點，並找出解答。

不要讓孩子介入其中

強烈衝突婚姻裡的孩子嘗試成爲父母之間的一個調停者的例子並不罕見。一些研究員做的理論認爲這是孩子企圖的一部份，想調整他或她的情緒。他們對家庭中的混亂感到恐懼，很絕望地想對此做一些事情，因此他們表現出業餘婚姻輔導者和裁判的角色。但要維繫一個家庭的責任，對任何孩子而言都太吃力，而且只會節外生枝。

假如你感覺孩子嘗試在你和你配偶之間作一個調停者，就把這種情形看爲一個徵象，即它表示你家中衝突的程度已經太嚴重了。爲了孩子著想，你必須將戰火降級。這時，情緒輔導的技巧就很有用途。使用它來找出孩子的感覺並發揮同理心。如果你有年紀較輕的小孩，讓她瞭解照料父母不是她的責任。告訴她這是大人必須自己尋找解答，同時大家都不會有事的。對於較年長的孩子，你的談話可以比較深入，但嘗試傳達相同的訊息——即解決父母之間的爭吵不是她的責任。

你可以承認，聽到父母在吵架是很心煩的，但有時候，家長需要有各自的意見以解決問題。同時，如果你能力做得到，向孩子保證父母在嘗試尋找方法使事情更美滿。

同樣地，讓孩子瞭解他或她不是你和你配偶之間的問題源頭。研究發現年紀大到能夠明白家長吵架內容的孩子，在目睹一場關於他本身的爭吵時會經歷較大的壓力。在發生時，他很可能有羞恥、自責、及害怕被捲入爭執中的感覺。在此情況下，你或許可以說：「爸爸和媽媽對於要如何處理這個狀況有不同的主張。但我們爭吵並不是你的錯。」

要更進一步防止孩子捲入婚姻的衝突，就不要要求他們在爭論的事件中做一個中間人。想像當孩子被要求傳遞一些他雙親也不想親自傳達的沉重訊息時，他所必須承受的壓力。

(「你告訴你父親我不要他未經我同意，就從學校把你接走。」)

家長也不應該要求孩子對另一位家長隱瞞極密的資料。這種行爲在家庭關係中是一個欺騙的模式，它只向孩子證明你和其他家庭成員是不可靠的。同時，孩子需要感到自己可以跟父母談論任何干擾他們的事，而不必擔心後果可能背叛其中一位家長的信賴。最後，儘管父母有不和，孩子需要感到倆人是爲了孩子的幸福而共同尋找解答。要求孩子「保秘」只會毀了這一切。

衝突解決時讓孩子知道

正如同孩子看到父母爭吵而不安，他們知道父母已找到解答時也會感到慰藉。西維吉尼亞州大學的E. 馬克·顧明斯教授（E. Mark Cummings）所指導的研究，發現孩子在目睹大人爭執時，經常表露侵略和煩躁的反應。但假如他們瞭解大人已解決了他們的不和時，孩子的反應就平靜許多。除此之外，顧明斯發現父母和好的程度對孩子是有意義的。譬如，當孩子確實目睹大人互相向對方道歉、或達成一個協議時，他們的反應會比較正面。但對於一些較複雜的解答，譬如，大人只是換了話題、或一位家長向另一位投降，孩子的反應就不是那般地正面。至於大人之間的沉默或持續公開的爭吵，孩子則產生最負面的反應。

另外，顧明斯發現解答內所包含的情感對孩子是重要的。即是說，他們能夠分辨大人表達歉意的態度是忿怒的或者達成的協商是不熱誠的。十分年輕的小孩要明白解答及寬恕所代表的抽象深奧的觀念當然是有困難的。對他們而言，父母以一些身體的提示來表明已找到一個解答可能會有益。譬如，父母溫馨地相互擁抱，可以讓小孩知道他們的家長已回復平穩的關係。

爲孩子建立情感上支持的網路

當家長經歷高度的婚姻壓力時，較年長的孩子——尤其是十幾歲的——擺脫他們的家庭而在其他地方尋覓情感上的支持的案例是常見的。開始時，他們可能會花多點時間與同輩相處或者發展嗜好，或與一些比較沒有那麼多問題的朋友或親戚的家庭接近。雖然孩子退出他或她自己的家庭是很令人悲傷的事，但倘若他們選擇的人或活動對孩子的生活有正面的影響，這也可能是孩子積極的應付技巧。

很不幸的是，許多孩子的情況並非如此。一些小孩在他們的生活圈裡沒有負責任的大人可以依靠。他們也沒有好的途徑以得到建設性的發洩管道，如運動、學術活動、或文藝。在這種情況下，小孩常常成爲有害影響的獵物。如研究所顯示，來自不穩定家庭的小孩被吸引入脫軌的同輩團體和做違法行爲的危機是特別的高。

因此，家庭發生糾紛期間，對孩子的朋友和活動有更多而非較少的注意力是重要的。找出他如何以及與何人使用餘暇，與他朋友的家長保持聯繫，並且儘量監督和管理孩子的活動。與孩子的老師及導師交談，讓他們瞭解你的家庭正承受著一些壓力。告訴他們你會感激他們的支持和對孩子的注意。盡量確定在你孩子的周圍有可信賴的大人——導師、老師、阿姨、伯父、鄰居、祖父母、及朋友的父母——讓他能夠向他們求助以獲得照料和支持。

雖然較年幼的小孩在家庭有危機時，沒有行動和獨立的能力在外尋求情感上的支持，但這不代表他們不需要這類的避難所。同樣的，與孩子的老師及托兒所的照料者交談，讓他們瞭解你的家庭正經歷一段特別艱辛的時期，並請求他們必要時給與孩子一點額外的耐心和照顧。經常去其他家庭（或許是你自己家族內的親戚）拜訪暫住，好讓孩子體驗到歸屬感以及獲得情感上的支持。

以情緒輔導方式來討論婚姻衝突

你要和孩子討論有關他們的感受，最好的時機莫過於當家裡爆發婚姻衝突的時候。雖然家長與配偶發生衝突後感到憂傷或忿怒，還要在情緒上有力量與孩子討論這件事，對他們而言，可能是有困難，但很可能孩子也感到心情惡劣，並需要一些指導來處理這些情緒。

當你感到比較平靜時，利用一些時間與孩子談論他或她對家庭裡發生壓力的反應。你可以說類似這樣的話作開頭：「我發現當爹和我在吵架時，你變得確實很安靜並回到你的房間。我很納悶你是否覺得我們的爭執令你心煩。」鼓勵孩子談論他可能感受到有關憂傷、恐懼、或忿怒的情緒。發揮同理心傾聽他的談話並幫助他描述自己的情感。你或許能夠發現一些孩子的恐懼是以前你未察覺的。或許他害怕你跟你的配偶會分開，而他將永遠看不到你們其中的一位。或許他納悶他將在何處居住，只有一位家長又如何能夠給他一切。或許他害怕自己在某方面是問題的禍根而感到內疚或因此而煩惱。又或者他不確定自己害怕些甚麼；他只知道有些不好的事情發生了，而他對於不知道會發生甚麼事而感到焦慮。不論他表達何種的恐懼，你可以讓他知道就算爸媽不和，你們倆會永遠愛他和照顧他的。或許你可以向他保證就算你和配偶的關係有問題，你們不會考慮分居或離婚的。另一方面，你可能真的打算分居，而這時候正可以告訴他你的計劃。任何一種情況下，你都可以向他保證發生問題不是他的過錯，而修復的責任也不在於他。告訴他爸媽正在爲大家著想而尋找一個最佳的解答，而你會持續地告訴他新的發展。

解釋完情況及幫助孩子表達他對此的感覺後，你可以利用接下來的時間協助他找出處理自己憂傷和忿怒的方法。其中包括約見幫助兒童應付家庭問題的專業輔導員、或加入援助離婚家庭孩子的團體。孩子也可能以寫日記、繪圖、或其他藝術性的表達得到慰藉。問他對自己如何可以感到慰藉的看法。但無論如何，不要期盼奇蹟的出現。我們的研究顯示，就算有接受情緒輔導的孩子比其他的孩子在經歷父母離婚時受到比較好的對待，但他們和其他所有的小孩是一樣地憂傷。這種情況下，家長最好能夠做的是向孩子保證他感到傷心是正常的、合理的、並且是被瞭解的。

假如發生婚姻衝突和離婚，情緒輔導可以幫助家庭渡過難關，同樣地，未來假使有繼父母的加入或發生撫養權的爭執，它可以繼續發揮作用。譬如，當一位離婚婦女懷疑女兒對母親再婚的計劃感到焦慮時，她可以運用情緒輔導的技巧來討論這個敏感的話題。譬如，她可以說：「最近妳似乎有點心神不定。妳是否擔心舉行婚禮之後，生活會是怎樣的呢？」或者，「許多時候，小孩子對於繼父要搬進來一起住的念頭感到侷促不安。他們害怕自己不會喜歡繼父，又或者假使他們眞的喜歡繼父，他們的親爹就會氣瘋了。妳是否曾有過這類的感受呢？」

與孩子談論他們對婚姻衝突的感受很少是輕而易舉的差事。你可能會納悶如何開始這場對話，或者你可能擔心孩子會有怎樣的反應。假如你記住提起這個主題乃是表明你想親近孩子的渴望和意願，這可能會對你有幫助。也請記住尼可拉斯・季爾對離婚的長期後果有令人傷心的發現——曾經目睹父母婚姻瓦解的孩子，比那些父母婚姻穩定的孩子，長大後報告與自己的雙親有更多的疏遠。雖然我們的研究仍未有資料可以告訴我們，情緒輔導的家庭在發生離婚後，對渡過青春期的階段會有怎樣的境遇，不過或許我們會發現這種方式的溝通對親子間的關係會有所影響。或許情緒輔導會讓父母與孩子形成並維繫一個持久的關係——一種可以持續至成年，不會因婚姻衝突和離婚而造成的混亂及變化而受影響的結合力。

維持對孩子日常生活細節的參與

緩和孩子對婚姻衝突負面影響的秘訣就是隨時給與他們情感上的需求。這是需要留意每天引發他們產生情緒的小事情，這些事可能與你婚姻上的問題無關，但就算家長被自己的麻煩弄得心神不安，孩子仍舊是過著他們的生活。譬如，年幼的孩子或許因爲一個新的褓母而感到焦慮；或者第一次要睡「大男生的床」而感到害怕。至於年紀較大的孩子，他們的問題可能從對數學課的挫折感到對班上迷戀對象的單想思發愁都有。假如家長能夠振作自己，儘管在還要承受婚姻危機的壓力下，仍然能專心與孩子在這些問題上實踐情緒輔導，他們確實是爲孩子付出心血。小孩需要在情感上與家長接近，尤其當家庭發生動亂時更需要他們的依靠。

6 父親的重要角色

想像三個不同的男人，每人下班後都回家。他們都將近四十歲，各有兩個孩子，一個八歲的男生和一個十歲的女生。帶著晚報回家的男人，正準備開門。但一旦開門後，所有的共通點就完全消失了。

第一個男人回到一所漆黑的公寓房間，聽著答錄機的留言，傳來他前妻熟悉簡潔的聲音，提醒他今天是他女兒的生日。

「我早就知道，」他一邊喃喃地說著，一邊撥一個長途的電話號碼。當知道是女兒而非她母親接的電話，他才舒一口氣。

「甜心，生日快樂！」

「嗨，爹，」她靜靜地說。

「嗯，妳收到我寄的包裹嗎？」在過了一段尷尬的沉默後，他問。

「收到了，謝謝。」

「妳覺得怎樣？店裡的人說這是最新款的。」

「對，是很棒，可是……」

「可是甚麼？」

「唔，我已經對芭比娃娃不再那麼感興趣了。」

「啊，好吧，沒關係，留著它，聖誕節妳來看我時，我們再買些別的，好嗎？」

「好的。」

「嗯，最近過得怎樣？」

「還好。」

「學校呢？」

「還不錯。」

「那妳的小弟弟呢？」

「他很好。」

對話就這樣持續下去，父親成爲訊問者，而女兒是萬分不情願的證人。最後以父親一段講述十二月孩子來看望他時將會有多棒、多美好的時光的獨白結束。電話掛斷後，男人感到空虛及挫敗感。

第二個男人進到一所照明光亮的房屋，廚房飄來陣陣的飯菜香。他猜是意大利式料理。

「嘿，小傢伙，」他跟沉迷在玩電動遊戲的孩子打招呼。他用報紙好玩地拍拍每個孩子，然後走入廚房幫老婆料理晚餐。

「啊，今天課上得怎樣？」當孩子在餐桌就位時，他問。

「很好。」他們異口同聲地回答。

「有學到些甚麼嗎？」

「實際上也沒甚麼，」他女兒低聲地說。

「我們在唸乘法表，」他兒子補充說。

「很好，」父親回答後就轉問他太太：「那個傢伙有否來電問關於抵押的事？」

「你想聽我唸『四乘法』嗎？」男孩打揷問。

「孩子，現在不行，」父親厭倦地回說：「我正在跟你媽媽談話。」

男孩安靜了，而家長也可以討論貸款的優劣點。但一當對話有中斷的時候，他又再次問：「爸爸，你想聽我唸『四乘法』嗎？」

「不是當你滿嘴蒜蓉麵包的時候，」父親諷刺地回說。男孩並沒有因此而屈服，他喝了一大口鮮奶後，開始唸『九九乘表』中的『四乘法』：「四一得四，四二得八，四三……」

當孩子終於唸到四乘八時，父親冷淡地說：「非常好。」

「想聽我唸『五乘法』嗎？」孩子問。

「稍後吧，」男人說，「現在你不如跟姊姊繼續玩那遊戲，好讓你媽媽跟我可以談談。」

第三個男人開門進到一個跟第二個男人類似的場景：他老婆在煮飯，孩子忙著打電動遊戲。但在餐桌上的對話就完全不一樣了。

「今天學校有甚麼事情嗎？」他問。

「沒有，」孩子們異口同聲地回答。

「在休息時間打球，有沒有使用你新的棒球手套呢？」他問兒子。

「有呀。」

「那你是不是守你想要的一壘呢？」

「是呀。」

「那彼得沒有鬼叫嗎？」

「沒有，他酷得很。他守二壘，而且我們做了一個雙殺。」

「那太棒啦！那你的打擊又怎樣？」

「太差勁啦。我被三振了兩次。」

「哎呀，老兄，那太遜了。或許你要多加練習。」

「嗯，大概吧。」

「晚飯後我給你投幾球看看怎樣？」

「好啊！」

「那妳呢？」他問女兒。

「甚麼？」她帶一點防禦地回答。

「妳今天過得好嗎？」

「都沒問題，」她說，但很明顯地對一些事情感到難過。

「布朗太太對妳們的二重奏有甚麼看法？」

「我們沒有排練，凱絲生病了。」

「又生病啦，是氣喘病嗎？」

「對，我猜是吧。」

「那太糟糕啦。不過，至少給妳多點時間練習。」

「但爹，我對它已感到很厭倦了。」

「不錯，一直重覆地演練同一首曲子有時候會覺得很無聊，不是嗎？」

「我不想再吹長笛了，」她宣佈。

而對話持續著，由父親傾聽女兒的抱怨，同時協助她決定該如何處理她的挫折感。

從這種並肩對待事情的做法，可以看出父親與孩子的交涉層次是有許多種類的。最後這位父親似乎對孩子生活的無數細節都有瞭解——包括他們朋友的名字、他們的日常活動、他們遊戲場上的挑戰。這些察覺使他可以向孩子提供情感上的扶持與指導。相對地，前一位父親似乎不感興趣、心不在焉、並且當兒子嘗試要引起他的注意力時，幾乎有著輕蔑的態度。而最先前的一位父親，對女兒的生活幾乎是毫不知情，讓他很難使她參與話題。

心理學家長期以來認爲在養育孩子的過程中，父親的參與是重要的。現在不斷有更多的科學證據顯示有參與的父親——尤其那些給孩子提供情緒慰藉的父親——對孩子的幸福有獨特的貢獻。父親可能對孩子有母親所沒有的影響力，尤其是在某些方面，譬如，孩子與同輩的關係以及校內的成績。研究暗示，譬如，缺乏父愛的男孩很難在男性的自信和自制之間找到一個平衡點，因此，要他們學習自制和延後獲得滿足的技巧是比較困難的，而這些技巧在男孩長大時尋找友誼、成功的學業、和職業的目標上是愈來愈重要。父親存在的正面意義對女孩學業和職業的成就也會是一個重要的因素，不過這方面的證據就比較不明確。無論如何，假使女孩的父親有在她身旁並且瞭解她的生活，她們比較不會在未成年時發生雜亂的性關係，而比較可能在成年後才漸漸與男性發展健康的關係。

研究結果也顯示父親的影響有持久的效力。譬如，在一九五〇年代開始進行的一項長期研究，發現那些五歲的時候有父親存在而且受到他照料的小孩，比那些缺乏父愛的孩子，長大後比較有同理心和慈悲心。到了四十一歲，研究對象中那些體驗較多父愛的參與者比較會有更好的社交關係。這些證據包括有較持久美滿的婚姻、擁有自己的孩子、而且與非家族關係的朋友共享娛樂活動。

這些關於父親重要性的發現正值美國家庭在歷史上面臨著一個危急的關頭。你只需要看看夜間新聞，就聽到對我們社會中父親變化的角色所發出各種雜亂不一的關注。從精神主義者詩人勞勃・布萊 (Robert Bly) 的「精明」追隨者，到原旨派基督教會信徒捲入一些像「遵守諾言者」的團體，男性對父親與小孩結合的深切重要性漸漸有所覺醒。不論是保守派政客如丹・奎爾（Dan Quayle）譴責媒體對電視劇「墨菲・布朗」中單身母親的讚揚；又或者是一九九五年在華盛頓 D.C. 成批的非洲裔美國男子所舉行的「百萬男子遊行」的示威，它們都有一個共同的主題：太多的男人已與自己的家庭脫離太久。從劇增的離婚率、未婚生子率、到青少年暴力上升的趨勢及其他社會問題，政府官員、宗教領袖、和各種信仰的社會行動主義者，都在向男性呼籲承擔多點養育孩子的個人責任。他們聲稱現在正是爸爸該回家的時候了。我和同事所做的研究亦支持孩子確實需要父親的論點，但我們的研究中也有一個重要的差異：不是任何一個父親都做得到。孩子生活的品質由於父親而提升了，父親在他們發生不幸時，與他們共渡及確認情緒、並提供慰藉。但同樣地，孩子會遭受父親嚴重的傷害，他們可能是虐待的、強烈批評的、恥辱的父親，或者在情感上是冷淡的。

轉變中的父權

看看家庭如何隨著時代而改變，對進一步瞭解父親在面對情緒問題並參與其中的重要性是會有幫助的。有許多個案顯示，上幾代的父親已經逐漸從身為孩子幸福最首要的資源轉為多餘的存在。隨著劇增的離婚率和未婚生子率，今天有太多的小孩在生活中是沒有父親的。許多孩子對父親的印象只是一個在這裡現身一下又離開的傢伙，或者照理要給于孩子援助卻無法實現的男人。

歷史學家對這個轉變追溯至兩百年前的工業革命，當時男人開始離開妻兒終日忙於工作。然而，到了一九六〇年代，經濟力量結合了當代女權運動的潮流，才將父系支配的家庭系統給與一蹶不振的打擊。自此開始，空前數字的女性投入工作行列。在一九六〇年，擁有少於六歲孩子的已婚婦女在家以外工作的比率只佔了百分之十九；到了一九九〇年，這個數字已爬升至百分之五十九。在同期內，勞工的平均購買力逐漸下降，而使許多家庭覺得一份收入不足以餬口。在一九六〇年，男性是唯一負擔生計的人佔所有美國家庭的百分之四十二；到了一九八八年，這個數字已經跌至百分之十五。

《美國的父權》一書的作者，歷史學家勞勃・L・葛李斯沃德（Robert L. Griswold）說：「這種改變廢除了傳統中對父權和負擔生計的觀念。女性的勞動，打破了過時的父權假設，而需要在性別關係上有新的調整。」

同時，婚姻制度也受到嚴重的腐蝕。在一九六〇年至一九八七年間，離婚率增加了超過兩倍。今天，在所有首次結婚的統計，超過半數以離婚收場。密西根州大學做的一項研究，預言在最近的首次結婚統計離婚率可能會高達百分之六十七。未婚媽媽也日漸普遍，現在已佔了將近美國所有嬰兒出生率的三分之一。

沒有了婚姻的約束，當今許多父親完全捨棄了對孩子的責任。除非父母親的關係是穩定的，否則，做父親的常常抽回對孩子任何形式的支持——包括情感和經濟的援助。

諷刺的是，這種父親責任的轉移與男性有更多新機會與孩子有親密的共同生活是在同一時間發生的。一些男性就抓住了這種機會。研究顯示，父親——尤其那些有雙份收入的家庭——比上一代的男性對孩子給于更多的照料。事實上，一項全國的調查發現今天的上班母親把孩子留給父親在家看管與她們利用家庭式的托兒所的機率幾乎是相等的，而比她們利用團體的托兒中心和祖父母幫忙照顧的情況來得更頻常。今天的父親比他們的前輩更有可能參與他們孩子的出生、要求父性產假和有彈性的工作計劃，爲了與孩子共渡時光而削減工作時數、以及放棄升遷的機會。

雖然這些跡象似乎充滿希望，可是，證據卻暗示將父親帶入孩子生活圈的過程是非常的緩慢。一些人會譴責顧主，聲稱今日的男性仍然得不到要做一個成功父親所需要的彈性工作時間。譬如，最近一項對中至大型的美國事業所做的調查，發現百分之十八的全職男性雇員獲得無薪的父性產假，而只有百分之一獲得有薪的父性產假。福利好的兼職不易覓獲，而勞工的職業又常常因爲他們拒絕加班、或不願爲了長途運輸拒絕離開家庭而被遣散。

其他人譴責法院，聲稱除非離婚的父親受到較公平的對待，否則沒有父親的孩子的數字會不斷上升。有九成的離婚案件，母親被裁定擁有撫養權。

最後，還有許多人聲稱問題在於父親不主動去參與孩子生活中的瑣事。一位研究員估計在有兩份收入的家庭中，父親與孩子共處的時間是母親的三分之一，而確實有給于照料的只有這時間的百分之十。除此之外，當男人開始努力去照料孩子時，他們很典型地是從事「褓母」的角色；即是他們有依賴太太所吩咐的差事和給他們的指引的傾向，而非負起自己的責任。

這些問題的結果使許多男人仍然是與孩子的生活分開的。這令我想起導演伍迪・亞倫和他前任女伴米爾法拉在撫養權大戰中的結果。爲了要知道亞倫和孩子之間的關係，法官請他說出孩子的朋友和醫生的名字，但亞倫卻說不出來。正如此章開始時描述的那兩位父親一樣，亞倫活在一個與孩子隔離的世界裡。這種父親是在門外觀看的局外人，錯過無數與孩子以一種有意義、協助式的方法作交流的機會。

有父親的差別

當父親不在、疏遠、或繁忙時，孩子到底失去了些甚麼？兒童發展的研究告訴我們，他們不只失去一位「助理母親」。父親與孩子的關係有母親所沒有的獨特性，即是說他們的介入會帶動其他能力的發展，尤其是人際關係方面。

父親的影響始於很早的年紀。譬如，有一項調查發現五個月大的男嬰，如果與父親有許多的接觸，在被陌生的大人圍繞時比較能感到安心舒適。比起那些不太有父親介入的嬰兒，他們比較不怕生、對陌生人會發出較多的聲響、也比較願意讓他們抱。另一項研究發現一歲的嬰兒，如果與父親有較多的接觸，當和陌生人單獨相處時，他們的哭喊會比較少。

許多研究員認爲基本上父親是透過遊戲來影響孩子的。很典型的，父親與孩子相處時，不只花了大部份的時間在遊戲活動上，而且他們介入的遊戲方式也比母親提供的來得更粗野和刺激。邁克・約曼（Michael Yogman）和T.白利・布拉傑頓（T. Berry Brazelton）從觀察父母和新生兒中發現父親談話較少，但撫摸孩子較多。父親比較會以一些有節奏的輕敲聲來吸引孩子的注意力。他們的玩弄很可能讓孩子處在一列情緒波動的雲霄飛車上，從小至讓嬰兒不太感興趣至令到嬰兒頗激動的晃動都有。相對地，母親對嬰兒的玩弄及嬰兒對她們的情緒則比較平穩。

這些差別會持續到兒童階段，父親會與孩子一起有扭鬥莽撞的活動，包括舉起及拋高孩子，對他們呵癢。父親常常虛構一些特殊少見的遊戲，而母親比較是一成不變地繼續玩可靠的遊戲，如躲貓貓、跳房子、看書、或玩玩具及猜謎遊戲。

許多心理學家相信父親這種粗野風格的「玩鬧」，為孩子提供一個學習情緒的重要途徑。想像父親是一隻「可怕的大灰熊」，在後院裡追捕一個開心的小孩，或者要「坐飛機」就將孩子高舉在頭頂旋轉。這種遊戲讓孩子體驗到一點害怕、但同時又好玩刺激的激烈情緒。孩子為了要獲得正面的體驗，學到留意父親的暗示並對之做出反應。譬如，他發現尖叫及咯咯地笑會讓父親開懷大笑而因此延長遊戲的時間；他也留意到暫停遊戲的指示（「好啦，現在到此為止。」）而學到如何從刺激中恢復到平靜。

當孩子探索玩伴的世界時，這些技巧對他就很有用。父親與他瘋顛的玩法，讓他知道當情緒激昂時，如何閱讀其他人的暗示；他知道自己如何去產生好玩的遊戲，對別人的反應不會太安靜也不至過於喧嚷；他知道為了使遊戲充滿趣味，該如何將自己的情緒保持在一個最理想的狀態中。

蘿絲・派克（Ross Parke）和凱文・麥當勞（Kevin MacDonald）對三和四歲的兒童做的研究，為父親這種粗野的身體遊戲與孩子如何與同輩相處兩者之間的關連提供了證據。經過對孩子與父親一場二十分鐘遊戲的觀察，研究員發現，那些與父親進行最激烈的身體遊戲的小孩在同輩中是最受歡迎的。不過，這項研究透露出一個有趣而重要的條件：與父親進行激烈身體遊戲的孩子，只有當他的父親與他們玩的方式是非指導性和非強制性的，他們才會被列為是受歡迎的。進行激烈的身體遊戲但同時也十分跋扈的父親，他們的孩子在同輩中，卻被列為最不受歡迎的。

其他的研究也得到類似的證明。總的來說，研究員發現如果孩子的父親維持正面的互動關係，並允許孩子參與支配遊戲的進行，這些孩子似乎發展出最優秀的社交技巧。

至於我自己的發現，包括強調父親避免對孩子批評、侮辱、損傷其人格、及強制的重要性，這些與以上所述的發現完全一致。在我們研究組裡被列爲有最良好同輩關係及學業成績的孩子，他們的父親都會確認他們的情緒並稱讚他們的成就。這些父親是情緒教練，不忽視也不反對孩子負面的情緒，而是發揮同理心並在幫助他們處理負面情緒時給與指導。

譬如，在家長教孩子玩電動遊戲的活動中，情緒輔導的父親鼓勵孩子，提供恰當的指示而不做強制的行爲。他們常常實施我所謂「鷹架」式的教導技巧，即是他們利用孩子每一次的成功作爲他或她能力漸增的證明。以一些簡單的言辭如「幹得好」或「我知道你做得到」，這些父親將每一個小勝利都轉成了要得到較好的自我概念的一個基礎。他們的讚美讓孩子有信心繼續學習下去。

相反地，我們研究組裡在學業與社交關係上遭遇最多困難的孩子，他們的父親是冷淡而具威權主義，損傷人格並強制他人的。在電動遊戲的活動中，這些父親可能對孩子有侮辱的言辭、嘲笑、並由於他們犯錯而批評他們。當遊戲不是進行得很順利時，他們可能也會接管，而證明給孩子看他們的無能。

三年後，當我們追蹤這些家庭和孩子的老師，我們發現有侮辱、不給與支持的父親，他們的孩子最有可能惹麻煩。他們對待朋友時表現出好侵略的行爲，在校內也是問題多多的一群，他們也是那些經常與青少年犯罪及少年暴力有關的問題孩子。

雖然我們的研究顯示母親與孩子的互動也很重要，但我們發現與父親的反應相比較，母親的特質對於孩子日後在學校以及朋友關係的成敗上，並不是一個很鮮明的預示。這項發現無疑令人驚訝，尤其因爲母親一般比父親在孩子身上花的時間是較多的。我們認爲父親對孩子會有這麼深遠的影響，原因是父親與孩子之間的關係喚起了孩子許多強有力的情緒。

給孩子更多關注

對男人來說，要與自己的孩子親近並不需要那般的困難。然而，正如心理學家朗諾・勒方（Ronald Levant）在他的書《重建的男子氣》（*Masculinity Reconstructed*）中解釋，今天有許多的父親爲了一個令人覺得正確的父親定義而努力掙扎。「正如在這重視嬰兒的時代，男人自己也成了父親後，他們被告知他們從以前自己父親處學來的那一套父親哲學——即父親是一個努力工作、並不常出現、批評比稱讚要多、除了忿怒沒有其他的情緒發洩、也沒有任何表露關愛的人——現在已不管用了，」勒方說：「反之，男人被認爲是一個敏感的、體貼的、啓發的父親，確實在孩子身旁並與他有交流……唯一的問題是許多男人不知道這種父親如何做得到，只因爲他們自己的老爸不是這樣子對待他們。」

在古早的時代，父親以戰士和獵人的身份來保護自己的後代。經過十幾個世紀，他的角色轉爲負擔生計的人。他努力工作、自我犧牲，爲了給孩子平安和保障，他的代價是賺錢供房子、付雜貨帳單、和繳學費。今天，我們覺得父親的角色又再次有轉變，他們被請求給于孩子另一層的保護——一種可以緩和孩子對破壞勢力，如不良少年幫派、藥物濫用、和性亂交的衝擊。科學告訴我們，人的慣性心理防禦無法對抗這種危險，而今天，孩子的安全就是來自父親的愛心。它的理論是根據男人要在情感和肉體上對孩子都是存在的。

如我們在第三章所述，男人有能力建設性地認可孩子的情緒並對它做出反應。一些研究已對此作出論證，如勒方的「父權課程」，它的目標在改善父親與孩子在有關情緒方面的溝通方式。經這八星期對於敏感度和傾聽技巧的訓練後，課程中的父親改善了他們和孩子的交流，而且更能接受孩子情緒的表現。

但男人並不一定要接受課程的訓練才變得對孩子較敏感，他們可以練習情緒輔導的技巧，以情緒察知爲第一步。男人一定要讓自己去洞悉本身的感覺，然後才能對孩子發揮同理心。接下來，他們必須採取任何必需的步驟使自己有空與孩子相處。他們一定要對自己的生活有所組織使他們可以給孩子更多的時間與關注——這一步聽來簡單，卻不是那麼容易做得到的。對那些沒有跟孩子住一塊或者那些十分專注於自己工作的父親而言，要空出時間給孩子就更困難。但無論如何，除非男人這樣做，否則，隨著孩子長大和改變，他們會失去與孩子的連繫，並且可能會覺得要與孩子維持有意義的關係是愈來愈難了。

我記得在過去幾年中，自己在工作計劃上的改變如何使我與女兒莫莉亞的關係產生變化。當她還是個幼兒時，我負責將她帶去日間托兒所，再趕回大學，我們早上相聚的時間常常是很匆忙的。我發現自己更粗率、愈少與她嬉戲，而我倆都不喜歡這種感覺。於是，我決定在早上十點前不排課或約談，之後情況就完全改觀了。雖然我仍要在早上九點前回去工作，但我每天與莫莉亞的互動關係有改進，因為我知道假如她需要額外的時間，我不會因此在工作方面爽約。假如她要在中途下車觀看一片蜘蛛網，我會有時間陪她；假如她突然決定要把紅鞋子脫下換成藍鞋子，也不是甚麼大不了的事。

當然，這是假定有某些職業可以允許父親在這方面有較多的彈性。但父親每天所做的具有意識的選擇，都影響著他們給與孩子時間與注意力的質與量。每天是哪位家長替嬰兒洗澡？

誰準備給孩子在就寢前唸一段故事？誰準備給他們找同顏色的襪子？雖然這些事情似乎都很瑣碎，但它們卻很重要，因爲只有從我們日常生活的結構中，才能夠建立父親與孩子情感上的結合。以下的幾頁，我們會探討一些幫助父親增強與孩子連繫的觀念。

自懷孕開始便參與孩子的照料

研究顯示當父親在他的伴侶懷孕時就有參與，能幫助建設一連串正面的家庭互動，而對婚姻、小孩、及加強父親與小孩的關係是有益的。

當父親在預產課表現活躍，譬如，他學習作爲一個實際的助產員，可以在整個生產的過程中，給伴侶加油。這樣對母子都有正面的結果。一項研究發現，有丈夫參與分娩過程的婦女比丈夫不在場的婦女，報告說有比較少的痛楚、接受較少的藥物、並對生產經驗有較正面的感覺。在剖腹生產時，父親的在場與母親對生產的知覺，也發現有同樣的關連。除此之外，另外一項研究發現，十分關注伴侶懷孕的父親，一旦孩子誕生後，會比較經常抱孩子，而且在他哭喊時，更會去照料他。

在嬰兒誕生後的幾天就養成這些親身體驗是很重要的。一位研究員發現，嬰兒在醫院誕生後，父親馬上開始給他換尿布、洗澡、搖擺、及做其他的照料，以後他比較可能會持續地做這些事——這些都使父親與嬰孩有面對面的機會學習雙方的暗示，使他們的關係有一個良好的開始。

另外，父親在小孩嬰兒期形成的習慣會持續下去。假如父親在早期就介入嬰兒的照料，他比較可能會繼續他的參與一直到孩子的兒童期和青春期。

這些發現給父親的啓示是，如果想和孩子有完整一致的關係，應該在懷孕期和嬰兒出生後頭幾個月就打下基礎。不過，首次當爸爸要注意的是，嬰兒的照料大多數是一種親身體驗的經歷，是一種嘗試與錯誤。從第一天就有介入的優點是，父母可以一起學習有關他們寶貝的一切。由於父母與嬰兒的交流是雙向的，新生兒很早也就有機會開始向父親學習。當她熟悉了父親的臉、他的聲音、他走路的節奏、他的味道、和他抱她的方式後，她也學習將他的存在與母親的存在連繫成是一種慰藉與安全。她也從他的反應學到社交控制的重要事項；她知道自己如何可以影響父親對待她的方法，同時，她也瞭解自己的行爲如何可以影響別人。

當母親以母乳餵哺嬰孩時，父親感到在照料嬰兒的事情上有一點點被遺忘是很正常的，但是，還有其他許許多多讓父親提供基本養育的事項：這些包括用奶瓶飲水、餵副食品、或餵擠壓出的母乳；他們可以替嬰兒洗澡、換尿布、搖抱他們、和在地板上扶他們行走。當然，父親永不該忘記在嬉戲時自己表現出性別上所具有的特別資質。心理學家安德魯・美爾索夫（Andrew Meltzoff）曾經在新生兒中發現微妙的象徵，他觀察到嬰兒模倣照料者臉部的表情。這表示當父親與嬰兒在進行面對面的對話時，也是他們之間美好關係的萌芽時期。

當然，這全部都預先假設了父親與他們的新生兒是有相處的時間，這也是爲何我一直是父親產假堅決的擁護者。假如父親工作環境允許，我極力主張他在這段孩子生命中最重要、最無法取代的最初幾個星期裡，盡可能爭取最多的休假。

家庭的附屬成員（即熱心的祖母）也可以有所幫忙，使得嬰兒來臨後，父親不致於被疏忽地摒塞在界線外。否則，父親就得不到作爲一個基本照料者學習嬰兒信號所需的時間。

當然，母親本身是最有效的「看管人」，她可以支持或鼓勵父親來參與照料孩子。在母親對父親參與照空矻兒時所抱持之態度的研究中，研究員派克（Parke）及愛雪麗・貝特爾（Ashley Beitel）發現，如果母親對父親照料的品質有所批評，或者她認爲女性天生比較有養育嬰兒的本事，那麼，父親就比較不會介入其中。

無論如何，有許多女性瞭解父親的參與有重要的價值，也想知道如何去鼓勵丈夫。對她們而言，答案很明確：允許伴侶有他自己照空矻兒的一套方法。提供妳的明智的經驗，但避免批評他換尿布、搖奶瓶、襁褓等等諸如此類的方式。記住，嬰兒可以從各種不同的照料方式獲益，這包括一些很典型男性特質的表現方式，即比較愛開玩笑、比較粗野、比較沒有規範。如果夫妻發現他們爲了照料的方式而起衝突，或許他們可以指定各人責任的權限。即是說，妳負責餵孩子，而每日的洗澡由我來做。同時，如果父親似乎難於安撫嬰兒，可能他和孩子只是需要更多的時間，在沒有母親的干預下，來學習彼此的暗示。父親利用母親被差遣外出與友人相聚的一些下午時間，好好地與嬰孩溝通，可能會有進展。對一些新媽媽來說，要讓給父親一些一向被認爲是母親的權責，可能也是一項不簡單的考驗。

但如果母親能夠不介入，讓父親和孩子有他們自己的一些相處時間，順利的話，她將看到孩子如何從父親健康的、發展良好的養育關係中受益。

隨著孩子的成長，持續關注他們的日常所需

有了每天照料和養育嬰兒的習慣，理想的是，這些父親隨著孩子的成長，持續他們所負的責任。但工作與家庭上的計劃和先後順序會隨著時日而變遷，要維持這些義務是一大難題。除非父親有意識地在孩子日常生活上下一番功夫，否則他們會發現自己距離孩子愈來愈遠，不再洞悉親密的細節——那些父親與孩子共享的瑣事。

過去幾年，已經有人寫了許多關於母親與孩子共渡「高品質時間」的重要性。那是當愈來愈多的母親就業後，而逐漸普遍的一個觀念。它認爲只計較時間的長短與孩子相處，比在共處時妳以何種方式和他們交流較不重要。事實上，對工作媽媽的研究，發現母親與孩子互動的品質比起他們共處時間的量，對小孩子有較大的影響。而對父親來說，套用同樣的觀念也是合理的。不管父親與孩子共渡了多少個夜晚和週末，如果這期間只是閃避溝通、埋頭於工作、或與孩子在電視機前發呆，就失去任何意義。

父親讓孩子易於接近的重要性，勞勃・布朗夏赫（Robert Blanchard）及亨利・比勒

（Henry Biller）有詳細的研究，他們比較三年級的男孩組群，一些父親不在家、一些父親在家也易於接近、和一些父親在家但難於接近。檢視所有組別的學業成績，他們發現父親不在家的男孩成績最糟糕，而父親在家也易於接近的男孩成績最優秀，至於父親在家但難於接近的男孩成績介於兩者之間。他們說：「如果一個能幹的父親不能常常讓孩子接近，又或者父親與男孩之間的關係品質是負面的話，孩子智力的發展是得不到幫助的。」（雖然女兒的學業與成績似乎與父親頻繁的參與有關連，但很少針對女孩與父親做這類研究。）

雖然很難說孩子需要來自父親多少的參與與接近，但當然不只是偶爾外出打棒球、去遊樂場、去動物園就會有所改變。事實上，要父親成爲孩子生活中一部份的最好方法是參與心理學家朗勞・勒方所謂的「家庭工作」，即孩子每日的餵食、洗澡、穿衣、和養育。「透過執行這些傳統女性的差事，男人才眞正整合爲一個不可缺少的家庭成員。」勒方說：「家庭生活不只是提供家庭的物質需要，還包括那些時時刻刻永無終止、變化不定、每天身體與情感上的需求。」

如同嬰兒期的情況，婦女可以鼓勵伴侶負起照顧年紀較大的小孩的責任，不要對他的照顧方式加以批判。擦淨鼻涕或做奶油花生醬的方式不是只有一種的。

對許多男人來說，要踏入並佔據孩子世界中的一角，是需要他們對時間觀念和以完成實質任務爲目標的重要性上切實做一番改變。許多男人的一生已經被社會化，相信每天都要有效率地一個目標接一個目標地完成，不遊手好閒、不拖慢進度、不留下未完成的工作。男人的生活比較不太與照顧別人的感覺有關，而比較是關於解決問題和完成差事。那些在家裡照顧學前兒童的男人可能會期望著可以做別的事——譬如，修剪草坪、看球賽、繳稅。假如照顧孩子需要許多的時間而使事情無法實現時，他們可能會失望，並覺得比較缺乏耐心和同理心，而這不是他們想要的。

做一個成功的父親不是要辦妥事情卻不顧孩子，而是接受我們在這個所謂人類成長過程的二十年逐步工作進展中的角色。是要將脚步放緩、花時間與孩子依他們年紀的需要做一對一的交流。

我是很艱辛地、不斷嘗試失敗地才悟出這道理，譬如，我利用和女兒莫莉亞一起待在家中的日子來寫作。最後，我決定除非她年紀大到有她自己的需求(這是一個苦樂參半的念頭)，否則我們共處的時候最好還是一起嬉戲、大聲閱讀、做家庭雜務等等。

因此，我也學到確實進入她的世界、參與她的活動如上顏色、嬉戲、和假裝遊戲等等的豐富價值。從莫莉亞和我研究組裡的孩子身上，我看到小孩子如何在嬉戲的情況下接納大人，願意討論一些他們被單純地詢問時可能不會說的話題。我和莫莉亞一些最有意義的談話是發生在她四或五歲，我們一起上顏色或玩芭比娃娃的時候。她會很突然地冒出一些問題，如：「爲甚麼你的朋友海倫娜要搬去密西根州？」或者，「媽咪是否對你很生氣？」這些關於孩子最深層的思考和感覺——他們的擔憂、恐懼、和夢想——的親密對話，最可能在家人共渡輕鬆的時刻、做些自己享受的事情時發生（順便一提，我發現上顏色可以讓人感到十分輕鬆。現在我甚至不會塗出界外。）

當孩子漸漸長大，有更多在家以外的活動時，父親可能愈難找到單獨與他們相處的時間。然而，不論孩子幾歲，他們與父親一對一的交流可以是頗重要的。因此我極力主張父親將自己的工作時間表調整成他們可以定期地與每一個孩子有單獨相處的時間。這些機會可能是每個星期六送子女去上音樂課時在車內三十分鐘的對話；又或者父親與孩子可以分享共同的嗜好或運動。有時候，這些最佳的對話是當家人分擔做家務，如洗碗筷、摺晾乾的衣物、或除園子裡的雜草時發生的。

假如你知道孩子生活圈裡的人、事、物，包括他們的日常活動、朋友、老師、和教練的名字，你們的對話會比較容易起頭。假如可以的話，花時間拜訪孩子的學校、參加開放日和夜間補課；在教室幫忙或去野外實習；毛遂自薦做孩子體育活動的教練（或助理教練）。

同時，盡量瞭解孩子的社交生活和他的朋友；結識他們朋友的家長；開放你家作他們的通宵派對；自願開車送孩子去派對、保齡球館、滑冰場；跟上他們談話的潮流；傾聽他們關心的事。

最後，認清家庭生活充滿無數的機會，只是看你要與孩子做交流還是要與他們疏遠。在許多瑣碎的時刻，是由你來決定要面對孩子或遠離他們。譬如，你想看書時，發現自己十幾歲孩子的房間內傳出震耳欲聾的音樂聲響，使你無法專心，你想請他把音量調低，你一開始的話可以說：「我眞不敢相信你把這種鬼叫當做音樂。」或者你可以說：「我以前從未聽過這個樂團，他們是誰？」第一句話是侮辱，而第二句話是一種邀請的口吻，一個連接你們之間差別的橋樑，讓你保持參與他們生活的機會。

在工作與家庭生活之間找出一個平衡點

對許多男人來說，要給孩子足夠的時間與精力，就是表示他們要減少自己的工作。這是因爲假如你一星期工作六十小時，你很難，即使不是不可能，給孩子他們肉體與精神上的需要；或者你被工作壓力弄得心神不定而無法專注於孩子的問題。

對一個覺得自己最原始的身份是作爲家庭負擔生計的男人來說，要解決這個衝突不是那麼簡單的。他已經被社會化，相信努力工作、加班、自我犧牲代表著他對家庭的義務。但現在，許多男人害怕會失去妻子和孩子——這些讓他們的工作產生意義的人——，因此，他們唯有改變。

當我們的社會變得比較能意識到這個諷刺性的事實時，我希望能看到有更好的工作條件來改善家庭福利。多年來，工作婦女提倡要有彈性工作時間的職業、更多的兼差（享有充實的福利）、雇主單位的托兒服務、以及足夠的家庭休假。當實現這些改變時，男性雇員也受益，尤其那些希望與孩子有更多接觸的父親。譬如，一項對科學技術員工做的英國研究報告，發現採用彈性工作時間，對有雙份收入家庭中的父親，他們花在照料孩子的時間，數量有差別。另一項研究發現有彈性工作時間的工人，並不一定與孩子相處更多的時間，但他們報告在家與在工作之間的責任問題上比較少發生衝突，也許這導致家庭內壓力減少，使孩子擁有一個較愉快的生活環境。

儘管如此，男性常常還是必需放棄賺更多的錢和職業上的發展，以便在他們工作和家庭生活之間達到一個較好的平衡。正如社會學家派珮・舒華滋（Pepper Schwartz）在她對平等主義婚姻的研究裡，發現如果男性在家務事和照料孩子上扮演平等和活躍的角色，他們的事業沒有那些比較傳統、負擔生計的男人那般良好的發展。一位公司經理爲了不願離開他的家庭而拒絕調往別處，他的晉昇和加薪便泡湯了；一名推銷員爲了幼童子軍野營而錯過行銷訓練營，在發紅利或晉昇時可能會遺漏了他的名字。

不論男人是否願意選擇做「家庭老爸」，減少工作時數而賺較低的薪酬，他還是可能要考慮減少工作的壓力。在辦公室裡，一次又一次的「今天眞倒楣」，可能會對父親和孩子的關係不利。這已經在一項對父親是空中運輸控制員的研究中被論證了。這項研究裡的父親回家後，由於工作上煩惱的社交經歷，比較容易向孩子發洩脾氣。相對地，研究發現，擁有高度的職業滿意感的父親，雖然與孩子相處花的時間較少，但確實能加強他們養育的技巧。

父親在他的職業中能否感到有自主能力似乎會有極大的差別。一組研究員發現當父親在工作上有較多的獨立感，他們似乎也比較會讓孩子自主。但如果他們的工作是受到高度的監督，他們似乎期望孩子有較多的規距與服從，同時，他們也比較會採用體罰。

改換職業，或至少找一些方法減低你現在工作的壓力，這些都會是重要的進展。

不管婚姻的狀態如何，參與孩子的生活

不論家長是否在一起，一般孩子的生活裡，如果父親和母親都有參與的話，他們的表現最佳。雖然分離的配偶要合作養育是很難處理的事，但假如孩子的母親和父親能夠將養育視作一項共同的事業，通常孩子會受益。

如我們在第五章所探討的，分居和離婚對孩子是相當有害的。但如果孩子能夠與兩位家長保持定期的接觸，就可以避免一些問題。也正如我們的研究結果顯示當孩子的家長能夠隨時給與情感上的援助、採取情緒教練養育的風格，這些紛爭父母的孩子一般會有比較好的表

現。有效的情緒輔導需要時間、親近、及對孩子生活有詳細的瞭解。這是爲何我鼓勵父親（離婚的父親有九成沒有和孩子住在一起），就算他與孩子的母親分離還是要與孩子維持緊密的關係。

離婚的父親或單親父親常常很難與孩子保持關係，原因有許多種，包括：地理上的距離、重婚、孩子教養費的問題、持續與孩子的母親發生衝突。一些研究顯示，不論父親與孩子的關係在離婚時的品質如何，離婚後，他與孩子的接觸會隨時間而淡薄。因此，當父親與孩子減少作交流時，他的影響力也會衰退。父親失去與孩子每天對上百萬件事情——不論是瑣碎或重要的事——做溝通時所形成的情感結合，他們當然也無法盼望在孩子青春期的一些大問題上發揮重大的影響。

離婚的父親可以做些甚麼以避免孩子逐漸從他們生活中消失呢？首先，他們可以視與孩子母親的關係爲一種合夥的關係。家長不應該讓他們之間的衝突阻擾了他們給孩子做最好的打算。正如我們在第五章所討論的，家長從來不應該「利用」自己與孩子的關係來反對對方。爲了要鼓勵對一些問題，如規範及管訓，有共同一致的意見，前配偶應該嘗試互相支持。

父親應該計劃一筆似乎合理的教養費並且要履行承諾。研究發現，持續支付孩子教養費的父親，似乎比較可能與孩子有定期的相處。相對地，父親常常由於經濟問題或對費用的爭執而沒有探望孩子。母親經常利用孩子教養費的爭議作爲阻止父親接觸孩子的理由。而父親常常感到內疚或對無法支付費用的恐懼，也避免接觸孩子。這同時，隨著時間的消逝，孩子一直以爲父親的不願接觸代表著他們的不關心。

當父親與孩子相處時，無論是一種「探兒權」抑或共同撫養協商的一部份，他們都應該使這段時間愈「實際」愈好。如果小孩與非撫養家長共渡的時間是做一些每天的活動，例如做作業、講解功課、及家庭雜務，他們會比較能適應離婚的生活方式。即是說，父親應該避免「迪士尼樂園爸爸」症候群，在相處的有限時間內，不停地給他們狂歡派對。孩子與父親的關係，可以從幫爸爸煮晚飯、洗碗筷中受益，而不是看他付漢堡王的帳單。

雖然父親與孩子相處的時間，沒有他想要的多，但頻繁的電話問候，譬如一星期二到三次，也對保持連繫有幫助。經常通話可以使談話較易進行，尤其如果父親努力跟上孩子每天生活的細節。認識孩子的朋友和老師、參加學校的活動、表演、及運動項目的比賽，都有助於交流。

假使離婚的父親再婚或他的前妻再婚，要與孩子保持親密更是個挑戰。這個挑戰是很可能的，因爲在離婚後，百分之七十五的女性及百分之八十的男性會再婚，雖然研究發現母親的再婚對孩子在經濟上有很大的幫助，但之後，很典型地，孩子也就較少與生父見面。一位家長的再婚也可以給孩子（尤其是十幾歲的小孩）造成一些焦慮，譬如當他們爲適應一個新的繼父母而產生內心的掙扎，同時，孩子也不明白這個人的存在，在他們與「眞正的」爸爸或媽媽的關係裡所代表的意義。

心理學家知道，要孩子在兩位父親中選擇一位是犯了一個很大的錯誤。同時，繼父通常最好避免接管管訓者的角色。如果繼父只在一旁支持母親的養育方針，孩子會適應的比較好。同時，在再婚之後，如果孩子可以持續與生父母有定期的接觸，他們的表現是最佳的。

或許對那些與孩子分離的父親而言，最有力的勸告是在孩子適應的期間，對他們要有耐心。家長可以預計在離婚後的頭兩年是最艱若的日子。父親除了很可能對他們與前任配偶的關係感到痛心與忿怒外，孩子可能也會表達許多負面的情緒。小孩子要適應這些過渡時期的轉變，通常會有困難：當父親來接他們時，他們可能反抗與父親一起離去。較年長的孩子可能會態度惡劣或意氣消沉，不滿父親沒有將問題解決讓家人可以團聚，而對父親發洩許多忿怒。由於男性的特質使他們在情緒激動時從中退縮，因此，許多父親可能會完全不想再見到孩子。爲了孩子將來的幸福，父親一定不能這樣做。專心幫助孩子解決他們負面的情感是很要緊的。在第三章中討論的情緒輔導技巧也許能派上用場。記住，發揮同理心去傾聽、協助孩子描述他們的感覺、以及指導他們處理自己的忿怒和悲傷，在情緒有危機時，父親可以藉此拉近與孩子的距離。

孩子成長過程中的情緒輔導

你是否曾經聽過新家長悲嘆：「我才剛剛搞懂這嬰兒——要餵他吃多少、他要睡多久、如何去哄他的時候——一切情況就都改變了！」

這點確是眞的，因爲養育孩子會有不斷的改變。隨著孩子成長，我們持續地調整自己的生活以適應他們最新近的需要、關注、及能力。然而，儘管如此，還是有一件事不變：每個孩子都渴望與關愛體貼的大人心靈相通。

在此章內，我對童年時期五個不同的階段一一探討，它們分別是：嬰兒期、幼童期、童年早期、童年中期、和青春期。我會對每個階段孩子在發展中的一些典型重要的事情做一番解釋，並爲提高孩子每一個時期的情緒智力提供一些意見。瞭解何謂「正常」，以及預料孩子在不同年紀會發生甚麼問題，能夠幫助你對他或她的感受有較好的體會。如此，也使你成爲一位更有效的情緒教練。

嬰兒期

●三個月

有誰知道嬰兒何時與它的父母開始有情感的關係呢？有些人推測，嬰兒在子宮內就對母親緊張或平靜的狀態有所反應。另外一些人則認爲一旦出生後，家長對嬰兒的餵食、搖抱、和安撫，立即產生了這層關係。還有一些人認爲在出生後的幾週，當嬰兒向爸爸或媽媽展露它第一個衷心的微笑時，才終於讓他們覺得所有的努力與不眠夜是值得的。

無論如何，大多數的家長會同意到了約莫三個月時，當嬰兒對於面對面的社交互動感興趣時，才眞正有樂趣。

啓發性心理學家稱這時期嬰兒的眼睛爲「明亮的」，即指嬰兒似乎首度確實看見並凝視父母。嬰兒即使只有三個月大，她們都可以透過觀察和模仿，學習到許多如何解讀及表達情緒的方法。這表示父母透過他們的反應及注意力，甚至在這麼早的階段就可以開始向嬰兒積極實行情緒輔導。

研究顯示在這些最初期的情感訊息的交換中，家長很典型地會不辭勞苦地吸引並維持嬰兒的注意力。譬如，家長常採用一種被形容爲「母親語」（當然父親也同樣能流利地說這種話）的說話方式。它是一種高音、緩慢而重覆的說話聲調，配上誇張的臉部表情。雖然這種「兒語」似乎極爲滑稽，但父母很有理由使用它——它很管用！當嬰兒聽到或看到父母用這種方式說話，它們通常會變得活躍而且注意父母。

大多數的父母對嬰兒也採用面對面、非語言的「對話」，輪流做一些表情。譬如，母親揚起眉毛，而嬰兒也揚起他的眉毛。嬰兒吐舌頭，母親也學著做。一方發出咕咕咿唔的聲音，另一方用相同的聲調或節奏作回應。嬰兒很典型的反應是被這些模仿遊戲所吸引。譬如，嬰兒將她的玩具在地上敲了三下，母親可能用聲音重覆敲打的節奏——這就迷住她的孩子。

這些模倣式的對話很重要，因爲它們告訴嬰兒家長留意著她並對她的感覺做出反應。這是嬰兒第一個有被瞭解的經歷；這也是情感交流的開端。

對母親和她們三個月大的嬰兒所做的實驗研究，其結果強調嬰兒在情感交流上豐盛的資源及潛能。在一個叫做「沒有表情遊戲」的實驗裡，研究員愛德華・楚尼克（Edward Tronick）要求母親看著自己的嬰兒，但要抑制平常父母對嬰兒嬉玩時做臉部動作的衝動。面對母親這種毫無表情、非典型的反應，嬰兒多番地嘗試帶動「對話」，徒勞地做著一個又一個有趣的臉部表情。研究員觀察到嬰兒最後在放棄前，平均嘗試四種不同的策略。在一項研究父母的鬱悶對三個月大嬰兒的影響的實驗，楚尼克要求母親在她們三個月大的嬰兒面前裝作有點難過或沮喪。就算母親的心情只有這麼輕微的不同，卻對嬰兒產生極大的影響。他們的情緒變得比較消極、退縮、及沒有反應。這些研究顯示就算在三個月大時，嬰兒也期盼父母會給于他們情感上的照顧及反應。

這些研究很生動地描繪出嬰兒在親子關係中並非被動的角色。相對地，在社交活動中，他們非常主動。他們尋找刺激、樂趣並與父母有情感的連繫。

當父母長時間沒有反應或以消極的方式反應時，嬰兒會怎樣呢?研究員蒂芬妮・菲德（Tiffany Field）對憂鬱的母親及她們的孩子所做的研究,發現一些令人憂慮的結果：憂鬱母親的嬰兒有反映他們母親傷心、無力、不熱衷、忿怒、及暴躁的傾向。而假如母親的憂鬱持續一年以上，嬰孩的成長與發展也開始變緩慢，受到永久的影響。

根據菲德的研究，在三個月至六個月大的期間，母親的憂鬱似乎對嬰兒神經系統的發展最具影響力。她和她的同事比較兩組三個月大的嬰兒（一組有憂鬱的母親而另一組沒有憂鬱的母親）,結果發現差別不大。但當她們研究六個月大的嬰兒時,結果發現有憂鬱母親的嬰兒比較沒有聲音的表達，並且神經系統功能的測驗得分較低。

一位母親沮喪的狀態甚至可能會影響嬰兒腦袋，將一個情緒事件處理成負面或正面的感受。當人有著不同的情緒反應時，科學家以腦電波的圖形資料就可以斷定是負面或正面的感受。負面的反應是在其中一部份的腦袋裡運作的，而正面的則在另一部份運作。華盛頓州大學的研究員賈洛丁‧道生（Geraldine Dawson）利用這種科技在幕後監測嬰兒對觀看飄浮的肥皂泡的反應。令人驚訝的是，母親憂鬱的嬰兒對這種中性事件情緒的反應是消極的。

雖然這些研究針對冷淡、憂鬱母親的嬰兒會有令人不安的後果，但希望還是存在的。菲德實驗室後來研究發現憂鬱母親的嬰兒在與育嬰所的老師及非憂鬱的父親接觸後，會有相當大的改善。這些相對的影響再次證明成年的照料者對年幼的孩子可以產生強大有效的影響。

當嬰兒學習解讀及模倣來自父母的情緒暗示時，他們也正在努力追求另一個重要的發展里程碑：調整那些由於社交與情感互動結果所引起的生理反應的能力。許多啓發性心理學家認爲，嬰兒從與別人反反覆覆積極的參與中達到這個作用。他們前一分鐘對人十分集中精神，對嬉戲也相當有反應；下一分鐘，他們就別過頭去，忽視大人用玩具和兒語來企圖吸引他們的參與。雖然父母有時候對嬰兒易變的表現感到大惑不解，但一些證明顯示嬰兒是有必要才有這種脫離的表現。他可能感到心跳加速以及一種快承擔不住的生理狀況。他像在萬客隆購物的顧客，當聽到「今天特價品」最後搶購的時間宣佈結束後，他處於一個過度興奮的狀態而急需休息。因此，他避開眼神，別過頭，盡量讓自己避免進一步的接觸。這個嬰孩正在嘗試學習平靜自己。對嬰兒沒有經驗的人可能不瞭解他們需要一些「沉靜時間」。大人可能持續嘗試以玩具、兒語、及推搖來刺激嬰兒。當然，他是無力的俘虜；他無法請求專橫的玩伴住手；他無法去另一個房間；他甚至未能有身體的配合及力量將頭埋藏在毛毯下。因此，他必須仰賴自己最持久、最有效的防禦——哭喊。

這類家長與嬰兒之間「不協調」的例子相當普遍。一些研究員估計，家長大約有七成的時間無法解讀嬰兒的暗示。不過，不必擔心。嬰兒期對於父母與嬰兒都是一個格外充滿嘗試與錯誤的階段。只要父母對嬰兒感覺敏銳，情緒交流會逐漸改善而失誤也會愈來愈少。

我建議實施情緒輔導的父母，關注嬰兒的心情並對之反應，假如嬰兒在一段互動後，突然對嬉戲似乎不感興趣，就給她一些安靜的時間。假如嬰兒經過衆人的搖抱和說話後（譬如在家庭聚會上）變得很煩躁，將她不時地帶至一間安靜的房內，讓她可以從這許多的刺激中穩定下來。

假如嬰兒看來似乎受到太多的刺激而無法自己平息下來時，盡你所能去安撫她。父母與嬰兒互相爲嬰兒本身的性情尋找一個最有效的安撫策謀，同樣也是一個嘗試與錯誤的過程。不過，普遍的技巧包括：將燈光調暗、搖晃嬰兒、輕聲說話、或與她一起走路，讓她感覺你們兩人以輕柔、有節奏的方式共同前進。家長報告說以輕音樂及催眠曲、輕柔的按摩、或微弱的輕拍也很成功。甚至「空白聲響」，如洗碗機運作中的聲響或未調整頻道的收音機發出輕柔靜止的雜音，對一些嬰兒似乎都有安撫的作用。研究告訴我們對嬰兒情緒敏感的父母，譬如，那些知道嬰兒何時需要從高度刺激的活動中換至比較安靜環境的父母，比較能夠有效地提昇子女的情緒智力。這種情緒輔導讓孩子有更多從高度刺激的狀態回復至比較安靜的情況的經驗。即是說，他們幫助孩子學習自我慰藉以及調整自己的生理狀態。

家長以安撫的方式來對待煩躁的嬰兒，是給他們上了幾節重要的課。第一，嬰兒學到她們強烈的負面情緒對外界會產生影響——即她們哭喊，父母就有反應。第二，嬰兒學到她們在經歷強烈的情緒後，有可能受到安撫。在這個年紀，大部份的慰藉乃來自父母，但隨著嬰兒的成長，她吸收了父母對她的影響並學習自我安撫的方法，這是情感幸福重要的一部份。

同樣地，嬰兒的生活上需要許多的刺激好讓她們有機會體驗激情後平靜的過程。如我們在第六章所探究的，父親與嬰兒高度體能的嬉戲給與小孩這類重要的經驗。

我也鼓勵家長在創造和玩遊戲時，讓嬰兒實習解讀及表達各種的情緒。研究發現，剛開始你只要很單純地模倣嬰兒的舉動就可以達到目的了。嬰兒吐舌或咳嗽，家長也照樣做；嬰兒又會再做一遍，如此，遊戲就開始了。

當你和嬰兒嬉戲時，要充滿感情、興致勃勃，重覆無聊的句子和溫和、有節奏的行動。如此的玩法，使嬰兒察知遊戲規則並學習預料你的下一步。這就像嬰兒在跟他自己說：「喂，老弟，現在又是『抓脚趾轉脚踝』的遊戲啦，」或者：「好吔，現在來玩『捉小雞呵癢』的遊戲。」當他享受嬉玩時，他也學習將他的歡樂以微笑、咯咯大笑、興奮地踢腿、及尖叫表達出來。這種反應鼓勵父母更愛與嬰兒遊玩，因而創造一種節節上升，關愛又富樂趣的互動，更進一步加強嬰兒與父母間情感的結合。

●六個月至八個月

這是嬰兒最富探究的一段時期，是他對物體、人、和地點的發現。同時，它們也發現與周圍的世界一起表達、分享情感，如歡樂、好奇、恐懼、及失望的新方式。這些萌芽中的察覺認識，繼續爲情緒輔導開發新的機會。

在這些重要的啓發性躍進中，典型地發生在六個月大的嬰兒的是，她能記住不再注視的物體或人，而將注意力轉移別處。過去，她只能對眼前注視的物或人有思考，但現在，譬如，她可以被玩偶逗得很快樂而同時注視著父母，與他們分享得自玩偶的樂趣。雖然這件事似乎很簡單，但它代表著嬉戲與情緒互動的一個全新世界。現在她能夠邀請你與她一起玩弄使她著迷的物體，她能夠與你分享她對那些物體的感覺。

為了鼓勵這種情緒智力的發展，接受嬰兒的邀請與她玩弄東西，並且模倣她們的情緒反應。這樣能帶動更多的分享、更多情緒的表達。

到八個月大時，嬰兒會開始爬行，發現她們的周圍環境。但這位探險家也同時在學習分辨遇到的各種人之間的差別，首次感到恐懼的存在，這就是所謂的「陌生人焦慮」。一個曾經在雜貨店的櫃台處向衆人毫無禁忌地微笑的嬰兒，現在只敢把臉伏在媽媽的肩膀上。雖然他曾經願意讓新來的褓母抱，但現在他與父母已經形成「特別的情感」，而如果要被安置在一個陌生的環境裡，他可能絕望地黏著父母。

同時期，嬰兒逐漸能夠瞭解說話，這也有助情感的交流。雖然還要等好幾個月他才會說話，但他能聽懂許多話，並遵從指示，譬如，「去拿你的小白熊給我。」我記得女兒莫莉亞在這階段時，我抱著她說：「甜心，妳看來很疲倦。為何不把頭靠在我的肩膀上休息？」而莫莉亞也照做了。

所有這些新的進展——身體的活動力、轉移注意力的能力、嬰兒對父母的特別情感、對說話的瞭解、及對未知的恐懼——都是技術心理學家所謂的「社交諮詢」。即是指嬰兒發現特定的物體或事件後，轉向父母尋求情感資訊的傾向。譬如，要靠近一隻不熟悉的狗時，嬰兒聽見母親說：「不，不要去那裡！」嬰兒能「瞭解」母親的話、聲調、及臉部表情所組合的意思，知道有潛在的危險。相對地，他在玩一個吵鬧的機械人玩具，回頭看見母親帶著鬆懈的微笑看他。孩子感到他可以自由地探究，又知道隨時享有母親的保障。

嬰兒與父母實習社交諮詢時，表示兩人情感相連，而孩子也感到心靈上的安全。由於在嬰兒早期所學到的模倣遊戲，小孩變得精於解讀家長的情緒暗示。他知道他能相信一些，譬如，臉部表情、肢體語言、及聲調所代表的訊息。（以下一則有意思的注釋是關於家長衝突如何對這過程可能產生的影響：研究員蘇珊·狄克斯坦（Susan Dickstein）及蘿絲·派克（Ross Parke）發現嬰兒與婚姻不睦的父親做的社交諮詢不及他們和母親持續做的多。我們認爲當婚姻關係開始走下坡時，男人對孩子和對妻子一樣地有情感回縮。相對地，婚姻不睦的女性可能會回縮對男人的情感但她們對孩子傾向保留情感的連繫。）

要在這時期加強與嬰兒情感的結合，我鼓勵家長作孩子的一面鏡子；即是向孩子反映她們表達的情感。這是早期情緒輔導重要的一部份——幫助孩子將她的感受化爲語言。用言辭和你臉部的表情說一些話，譬如：「你現在感到難過（快樂、害怕等等），不是嗎？」或者：「你現在已經覺得很疲倦了，想坐在我膝蓋一會兒嗎？」如果你的認知是正確的，嬰兒明白並會以行動表現。不過即使你不時對她發生錯誤的理解也不必擔慮，這是很平常的事，還好嬰兒是十分有耐性的。

也請記住，嬰兒依賴你給他們情緒暗示，你可以藉此幫助他處理這年紀最常發生的陌生人焦慮。假如母親對新來的褓母表現出很放心的感覺，或許甚至擁抱這位照料者，嬰兒得到的訊息是這位新來的人是可信賴的。

●九個月至一歲

這個階段裡，嬰兒開始瞭解人與人之間有可能分享彼此的思想與情感。譬如，嬰孩遞給父親一個壞了的玩具，而父親說：「啊，這個壞了，真可惜，你很難過，對吧？」九個月大的嬰兒已逐漸瞭解父親知道她內心的感受。因此，當父母發揮同理心，以變調的聲音、臉部的動作、肢體的語言來反映孩子的感受時，孩子是在學習種種關於情緒的表達。嬰兒以前並不知道父母與孩子確實可以有相同的想法與感受，現在她知道這類的分享是有可能的，也就增強了父母與孩子之間正在成長的情感結合力。這項新的理解在情緒輔導的觀點來看是非常重要的，因爲它成全了情感的雙向對話。

同時，孩子正在發展對在他生命裡的人和物都有某種程度的永久性和不變性的悟性。一個球滾到椅下，雖然看不到，但不表示它不存在。同樣地，雖然媽媽離開了房間，聽不見我的聲音，她仍然是我世界中的一部份，而且還會回來的。

當小孩探究這個「物體不變性」的概念時，他可能對一些遊戲著迷，從箱子內放進和取出小玩意，把它們藏起來，然後再使它們出現。或者，他可能從嬰兒的高椅上擲出他的湯匙到某處看不見的地方，再請你一次又一次地替他找回來。

這些萌芽中對人和物不變性的理解，可能與嬰兒另一項重要的發展有關：他對特定人物——即他的父母——漸增的情感。現在他確定就算你不在場，他還是確定你的存在，他可以想念你並要求你留下來。當他看見你在穿大衣或其他動作，知道你準備要離去時，他可能顯得很焦急。你離去後，他瞭解你是在某處，但他不知道地點而因此感到不安煩躁。另外，他的時間觀念很差，所以他很難瞭解你到底離開多久了。

研究嬰兒情感的心理學家，觀察一歲的嬰兒對於不熟悉的大人照料他、父母離開、及他們團聚時的反應，發現有安全感的嬰兒在父母回來時可能顯得煩亂，但當父母抱他們、跟他們說話時，他們緊靠著父母接受他們的安撫。但那些對獲取父母情感沒有信心的嬰兒，在團聚時有不同的反應，通常有兩種方式：一種是忽視或避免的方式，當父母回來時，她不加以理會並裝出一副很好的樣子。當父母嘗試安撫她時，她可能將他們推開而非貼靠著父母。另一種方式是焦慮和心不在焉，當父母回來時，嬰孩緊黏著父母並且很難接受安慰。假如你的小孩表現這類的不安全感，在你倆獨自相處時，她可能需要你給她更多情緒的照料。即是說，她需要你對她情緒的表達有所反應，發揮同理心、關注、及情愛都可以增強你倆的情感結合。

要幫助這個年紀的小孩克服家長離開時產生的「分離焦慮」，就是向他保證你會回來。記住，雖然一歲的小孩可能無法自己說話，但他通常瞭解許多你說的話，因此你的保證是有幫助的。也緊記他依賴你給他的情緒暗示，因此，假如你對於分離表露焦慮或恐懼，他也可能瞭解這種情緒並感受到。因此，最好找一個使你安心的照料者，並且在你離開前，確定你和嬰兒有時間去認識這位人物。這能讓你感到比較放心，而嬰兒也一樣會有相同的反應。最後，你可以幫助他「實習」與你分離的狀況，讓他自個兒探索家中一些隔離的空間。譬如，他爬去另一間（有保護嬰兒的設備）房間，讓他自己待一陣子你再去查看。如果你倆在同一間房間，而你必須去另一間，告訴他你要去的地點而稍後才回來。他逐漸有一個概念，即父母可以離開而不會發生可怕的事情。同樣，當父母說他們會回來，孩子也相信他們會回來。

只要表示你瞭解孩子的想法和感受，你就能使她感到更多的保障，而她對你也有更強的情感結合力。當你照顧她、與她嬉戲時，這種關係也就一刻一刻被建立起來。或者，你可以持續地創造遊戲、鼓勵模倣、及各種各樣情緒的表達。我和女兒莫莉亞在這階段發明的遊戲其中一個我們稱爲「這些傢伙」，每晚，我用鋼筆在一隻手上的每一根指頭上各畫一張不同的臉部表情。大拇指常常都是生氣的臉、食指是憂鬱的、中指是恐懼的、無名字是驚奇的、而小指是快樂的。然後莫莉亞爬上我的膝蓋，我們就跟「這些傢伙」談論今天日子過得怎樣。大拇指會說：「哎喲，我今天眞倒楣。我氣瘋了眞想踢些東西。」食指會說：「哎喲，我也很倒楣，但我今天很難過，好想哭。」然後它們會轉向莫莉亞問：「妳今天過得如何呢？」她先想一下子，然後抓住最像她現在心情樣子的手指。如此，就給我一個幫她描述自己心情的機會。「啊，今天妳很難過。」待她學會更多的字後，這種手勢會配合她自己的字眼。她可能會說：「掛念媽咪。」然後我會附加：「啊，媽咪去上班，妳就掛念她而難過。」以示我對她的同理心。「蘊璉解妳的感受，」我會接著說：「有時候媽咪上班，我也會感到難過，因爲我掛念她。」

幼童期

●一至三歲

幼童期是有趣又刺激的階段，因爲你的孩子正在發展對自己的感覺及準備探究他的自主權。這個時期也被稱爲「可怕的兩歲」，但也不無道理。這時候的孩子變得比較倔強、不服從。爲了實習他那正在萌芽的語言技巧，你最常聽見的字包括：「不！」，「我的！」，及「我自己做！」或者「我做！」情緒輔導變成父母一個十分重要的工具，幫助幼童處理他們逐漸浮現的失望與忿怒的感覺。

正如發展中的所有階段，如果家長能夠從小孩的觀點來看衝突和挑戰，會有好的結果。因爲在這時期，幼童主要的啓發任務是將自己建立成一個獨立的幼小生命，她會嘗試避免一些讓自己感到無力、無法控制的情況。我們養育組內的一位婦女描述如何使她兩歲、得了耳疾感染的兒子，服食一整枝滴管的粉紅色藥水。她採用他在嬰兒時的方法，用毛巾將他包住、按住他、並嘗試強迫他吞下藥水。「但他發瘋似地與我搏鬥，並拒絕服食，」她繼續解釋著：

「然後我妹妹走進來，從我手上拿走滴管，跟我兒子說：『你想自己來嗎？』我兒子點點頭，取走滴管，把藥水擠進嘴裡，吞得一乾二淨。」他想要的只是對這狀況能夠稍加控制罷了。

當你們每天相處，不妨給幼童許許多多小的（但眞正的）選擇。這樣的說法：「外面冷的很，你一定要穿外套。」，不如換成：「你今天想穿甚麼呢？夾克還是毛線衣呢？」將你的規範專注在幼童安全的問題上以及保持你寧靜的心態。給她一個刺激的、但安全的環境，會使事情更容易進行。

同時，幼童正在摸索解決堅持己見的問題，他們變得對其他小孩愈來愈感興趣。事實上，從很早開始，他們似乎對於跟自己最相像的人，其差別與共同點有著敏銳的察覺力。研究心理學家 T.G.R. 包沃爾（T.G.R. Bower）發現男嬰比較喜歡看小男孩活動的影片，而女嬰比較喜歡看小女孩活動的影片。令人驚訝的是，當包沃爾製造一段只在活動孩子的關節顯現有亮點的影片（一點在膝蓋，另一點在手肘，諸如此類），他再次發現男嬰比較喜歡看「男孩點」的影片，而女嬰比較喜歡看「女孩點」的影片。

雖然幼童可能彼此互相強烈地吸引，但他們仍然缺乏一起嬉戲的社交技巧。事實上，要試圖一起遊玩和分享常常會發生問題，這是由於「幼童主權規則」的緣故，即是：(1)我看到的，是我的；⑵如果是你的，但我想要，就是我的；及⑶我的，永遠就是我的。家長必須瞭解這種態度不是出於自私；他們只是幼童在發展自我意識時的表現方式。這個年紀的小孩只能夠設想自己的觀點，而無法瞭解別人可能有不同的感覺。因此，分享的觀念對他們是毫無意義的。

幼童對玩具的衝突，以及通常隨之而來的激烈爭論，有其積極的一面。這些事件是實施情緒輔導很棒的機會。家長承認並描述小孩的忿怒或失望，對他們有幫助。(「當有人拿了妳的娃娃時妳氣瘋了。」或者，「你現在無法得到那個球而你很失望。」) 家長亦可向孩子介紹「輪流」的觀念，開始與孩子探討解決問題的方法。如果衝突演變為肉搏，讓這些違規者知道「我們不打鬥」或者不應該由於忿怒而傷害自己的玩伴，然後將注意力轉向受害者，發揮同理心並加以安撫。

當你看到幼童表現最輕微初步的分享傾向，不要忘記讚揚與鼓勵他，不過，這種期望是很渺茫的。「平行遊戲」在這階段通常會比較成功，即每個孩子在他或她的地盤上各玩各的。

幼童永遠消除不了對所有物的衝突。但為了公平起見，你或許想減少這類的事件。你能夠做的是，向孩子解釋如果他們願意與別人分享玩具，才可以將玩具帶去朋友家或托兒中心。

至於當你的幼童期待玩伴來家裡玩時，讓他挑一些對訪客來說是「禁止碰觸」的特別玩具，然後，在外人來臨前，帶點隆重意味地把它們收好。這可以讓孩子對他所尋求的權力和控制有所感受。

除了他對自己有漸增的認識，知道自己與其他人是有別的之外，另一個重要的社交里程碑是，幼童正在對象徵的和假裝的遊戲產生興趣。在二至三歲之間，孩子開始表演稍早在其他家庭成員觀察到的行爲。這個階段新的發展是，孩子的記憶力有貯存行動和事件的能力，而稍後可以再憶起做模倣。看一個兩歲的小孩假裝燒飯、剃鬍子、掃地、或講電話是很有趣的。孩子溫柔地親吻熊寶寶說晚安，或責備洋娃娃不當的行爲，這些都深刻地提醒我們孩子從對周圍環境的觀察，學到許多關於如何處理他們的情緒。

童年早期

●四至七歲

到了四歲，孩子通常已經接觸世界、認識新朋友、熟悉各種的環境、學習許多新的刺激的事物。伴隨這些經歷來的是新的挑戰：學校是有趣的，但老師卻要求你靜靜坐在一堆人中，注意眼前的問題。你通常知道如何與朋友相處，但有時候他們仍然讓你生氣或傷你的心。而現在你已經大到能夠理解恐怖的事，如火災、戰事、竊盜、和死亡，你必須克服對它們的害怕。

要制服這些挑戰，必須有調整自己情緒的能力，這是在童年早期小孩要面對的其中一項重要的啓發任務。我是指孩子必須學習抑制不適當的行爲、集中注意力、以及爲了達成外在的目的而有條理地安排自己的事情。

孩子與同輩的關係最能夠讓孩子發展調整自己情緒的技巧。他們學到如何明確地做交流、互換資料、以及在不被瞭解時闡明他們的訊息；學到如何輪流說話和遊戲；學到如何去分享；學到如何找出共同玩耍的方式、解決衝突；學到如何體會別人的感受、願望、及渴望。

由於友誼爲小孩子情緒的發展提供了一個資源豐富的場地，所以我鼓勵家長一定要讓孩子們有許多彼此一對一相處的時間。我們知道，甚至一個年紀很小的孩子也會與別的小孩產生堅固長久的感情，而家長應該認眞及尊敬地對待這些關係。

這時期的孩子，兩個人玩耍通常狀況最佳。這是因爲四至七歲的孩子常常難於理解如何在同一時間內處理一種以上的關係。身為他的家長，這可能會令你感到不安，尤其當你目睹兩個孩子排斥第三個想加入的孩子。但記住，孩子的排斥不是來自吝嗇的品性，他們只是很單純地想保護兩人建立的遊戲。由於他們無法以第三個小孩聽懂或接受的措詞表達（「對不起，比爾，在我們現階段的發展，兩人組是我們能夠應付的最大的社交單位。」），所以他們通常會採用比較粗野、嚴厲的方式（「比爾，走開，你不再是我們的朋友！」）。有些孩子也會對父母有這樣的反應：「爹，走開，我不再愛你了，我只愛媽咪！」孩子眞正的意思是，她正在享受與母親建立的親密時刻。在這類案例中，父親不應該把它當眞，事實上，小孩子是浮躁易變的。兩個小孩排斥第三個小孩並不奇怪，稍後，他們會換搭檔，重新組合，歡迎被排斥的孩子加入一項新的遊戲或活動。

那麼當你看到自己的孩子排斥第三者時，甚麼是最佳的處理呢？我建議給孩子一些指導，教他如何親切地處理社交關係，尤其是如果你認為對他灌輸一些仁慈和體貼別人感受的觀念是重要的話。你或許可以建議她使用一些簡單的字眼，讓她可以用來向第三個小孩解釋這種情況。譬如，她可以說：「我現在只想跟珍妮芙玩，但我希望稍後你我可以一起玩。」

假如你的孩子是被排斥的一個，這時承認孩子的感受是很重要的，尤其如果他或她因這個情況而傷心或忿怒。然後你可以幫孩子找一些解決問題的方法，譬如，邀請另一個孩子加入，或找一些有趣的事情獨自玩耍。在第　頁美岡和她母親的對話，就是一則家長運用情緒輔導的技巧有效地處理這種情況的案例。

小孩子的友誼關係除了可以教導重要的社交技巧，還可以引發幻想遊戲，它會令小孩的創造達到高峯，不但創造角色、並同時做表演。小朋友常常以幻想彼此幫忙解決困擾的問題及處理日常遇到的壓力。這表示假裝遊戲有助於孩子情緒上的發展，讓他們接觸被抑壓的情感，方法類似大人所用的視覺想像法或催眠術。譬如，我以前的學生蘿莉・克拉瑪（Laurie Kramer）發現與孩子玩幻想遊戲是幫助他去適應新誕生的弟妹最好的方法。讓他們的玩伴選擇新生兒的角色，這些新的「大哥哥」和「大姊姊」就能探究對嬰兒從敵意到親切所有不同的感情。同時，他們也能以家長的角色，得到逗弄嬰兒、教導他、嘮叨他、及養育他的機會。

我在其他的研究裡也觀察到孩子透過幻想遊戲，表露了深刻的感受，令人驚訝。我們看到一個正在玩「扮家家」的小女孩轉向她的玩伴說：「我們不需要像我媽媽和占美（她母親的新男友）那樣整天睡午覺，我們沒有他們那麼累。」然後，過了一陣子，孩子的朋友問：

「當妳媽媽關門時她說些甚麼？」女孩回答：「她說：『不要進來。』」由於不明白爲何母親排除她在外，她附說一句：「她不想我在旁邊，她不愛我。」

由於幻想提供了一扇門使我們瞭解小孩的想法和憂慮，因此，情緒輔導的父母可以利用假裝遊戲作爲與這時期的小孩交流的方法。孩子通常將意見、願望、失望、和恐懼投射在洋娃娃或其他玩具上。父母只要依據孩子玩具所表達的、或裝出另一個玩具的角色、或兩者兼具的方法，就可以鼓勵他們發揮對情感的探究，同時也能夠加以疏導。以下是一則對話的例子，請注意家長如何輕易地利用孩子的幻想投射來進行交流：

小孩：這隻熊寶寶是個孤兒，因爲牠的父母不要牠了。

父親：熊寶寶的爸爸和媽媽就這樣離開了嗎？

小孩：對呀，牠們離開了。

父親：牠們會回來嗎？

小孩：永遠不會。

父親：牠們爲何離開呢？

小孩：熊寶寶很壞。

父親：牠做了甚麼事呢？

小孩：牠對熊媽媽發脾氣。

父親：我想偶爾發脾氣是可以的。她會回來的。

小孩：對吔，她現在回來啦。

父親：（拿起另一隻熊玩具，用熊媽媽的聲音說話）我只不過是去倒垃圾，現在我回來啦。

小孩：嗨，媽咪！

父親：你發脾氣，不過那沒關係。有時候我也會氣得快發瘋。

小孩：我知道。

鼓勵孩子進行假裝遊戲是一個很實在、高難度的技巧，但只要學會後，就可以很簡單有效地實行。譬如，孩子希望自己個子更高大威猛，因此他可能會說：「我曾經很瘦小，但現在我可以舉起沙發的一側。你知道超人甚至會飛嗎？」這就像是孩子在徵求你的同意要變成超人，以便探究對力量與信心的感受。爲了鼓勵幻想，你可以說：「久仰了，超人。你現在打算飛嗎？」

孩子與你玩假裝遊戲時，可能在對話中零散地加插入一些關於眞實生活的狀況。當你們在芭比娃娃或威力騎警的幻想劇中，不必驚訝孩子冒出一些類似這樣的話：「我很害怕再要跟那個褓母相處。」或者：「我幾歲會死呢？」

雖然這些思想的起源對你始終是個謎，但很明顯的是，遊戲中某些因素激起他想與你分享的某種情緒。假裝遊戲的親密和自發性讓她感到有保障，感到與你接近，所以她才會讓這些敏感的話題浮現出來。由於她暫時中止了假裝遊戲來探究這個情緒，你或許最好也停止假裝遊戲，眞誠地好好討論她體驗到的恐慌。

假裝遊戲在四至七歲的孩子中如此普遍，其中的一個原因可能是它能夠幫助孩子應付童年早期產生的大量憂慮。雖然小孩子的恐懼似乎無窮無盡，但事實上它們全都源於爲數不多的一些因素：

●對無力感的恐懼

我曾經無意中聽到兩個五歲的孩子在討論「世界上所有能殺害你的東西」，他們談關於「強盜、壞人、怪物」，而他們最害怕的是「大白鯊」。他們討論所有可以消滅這些嚇人的東西的方法。然後，他們談到當他們還是「嬰兒」時，曾經是多麼地害怕一些「愚蠢的事情如黑暗」，但現在長大了，他們誇口說不再被這些蠢事所嚇倒。

這段對話提醒了我，就算我們在各方面保護孩子，使他不會感受到眞實世界裡的危險，但孩子仍然會捏造出他們自己所害怕的怪物。因爲這類幻想幫助他們應付自然存在的無力感和脆弱感。雖然孩子受到怪物威力的阻嚇，但他們喜歡幻想克服恐懼的事情，這使他們感到更有力量、更堅強。

情緒輔導的父母也可以藉此發揮他們的功能，幫助孩子使他們覺得自己有力量。跟幼童一樣，小孩子享有選擇的權力會帶給他們有自尊的生活，譬如，關於要穿甚麼、要吃甚麼、要怎樣玩等等。另一個重要的策略是對於孩子打算要做的事，給予他們自主的權力。不論是學習自己洗頭髮還是玩新的電腦遊戲，孩子需要父母的鼓勵和指導，而不是強制干擾。譬如，你的孩子因爲綁不好鞋帶感到受挫，你要壓抑想干預的衝動，這種舉動會傳達你對孩子能力的懷疑。相反地，說一些體貼的話，如：「有時候長鞋帶是很煩人的。」然後，就算孩子最終仍需你的協助，但你已經表示你瞭解他的經驗。

●對被遺棄的恐懼

這個原因順理成章地解釋了爲何這個年紀的小孩對類似「白雪公主」這樣的故事如此地著迷：父親死了，女兒被交到險惡的後母手中；又或者是「孤星淚」，一個小孤兒經歷乞丐和小偷，自立更生的故事。這些都描述在這年紀的小孩共同有的一種恐懼，即他們可能有一天會被遺棄。

由於這種恐懼對小孩而言是很眞實及普遍的，所以我不鼓勵家長用它作爲恐嚇、管訓、或甚至「開玩笑」的一種方式。當你聽到孩子表達這類的恐懼時，你可以運用情緒輔導的技巧，接受他們的感覺，向他們保證你會一直注意照料他們的需求，也會細心地關懷及愛護他們。

●對黑暗的恐懼

對孩子而言，黑暗或許代表著龐大的未知，一個他們所有的恐懼和怪物隱藏之處。以後比較懂事的孩子才能理解黑暗並不是那麼可怕的。但在這個年紀，孩子要尋找光線的慰藉，要知道你就在附近，隨時有求必應，這是完全可以理解的。

不要以爲，否認他對黑暗的恐懼可以使他更堅強。我認識一位對於孩子希望開燈的要求不願讓步的父親，他擔心這男孩會變成一個「膽小鬼」。可是，過了幾個夜晚後，父親感覺到兒子變得愈來愈焦慮，除了對黑暗的恐懼，他還擔心失去父親的讚許。另外，他也害怕一夜未瞌眼，隔天去學校無法正常上課。最後，父親讓步了，裝了一盞夜燈，而全家也睡得比較安寧了。

●對做惡夢的恐懼

對大多數的小孩來說，惡夢自然是嚇人的，但對難於分辨夢境與眞實的孩子惡夢尤其可怕。如果你的孩子從夢中嚇得哭醒，嘗試抱著他、與他談談有關夢的事，並解釋夢不是眞實的生活。陪伴他直到他平靜下來，向他保證壞的影像已經消失了，而他是安全有保障的。

除此之外，向孩子述說一些解釋夢與睡眠概念的故事藉以幫助他們。一本特別優秀的書是桃麗絲・布蕾特（Doris Brett）寫的《安妮的故事》（*The Annie Stories*），這是她爲協助自己的女兒應付惡夢而寫的故事。其中一則，安妮告訴母親一隻壞老虎在她夢中對她窮追不捨。這母親就在安妮入睡時給她一只隱形夢中魔力戒指。然後，當老虎又開始追安妮時，女孩想起她的戒指，於是不再逃跑，結果發現老虎只是想跟她交朋友，於是安妮現在有了一個同黨一起與她對抗別的恐懼。

當我跟女兒莫莉亞述說《安妮的故事》時，她決定要將主角改名爲莫莉亞。稍後，我發現她在浴室裡，站在馬桶上以便可以跟鏡子裡的自己述說故事。之後，她迅速改變了自己對惡夢強烈的恐懼。她偶爾還會作惡夢，但她對它們不再覺得那般可怕了。

●對父母衝突的恐懼

正如我們在第五章所討論的，家長的衝突可能使孩子十分煩亂，常常覺得雙親的爭執可能會危害他們的安全。當他們長大一點，變得比較瞭解父母爭吵的後果，孩子或許會害怕父母的衝突會引致分居和離婚。除此之外，孩子常常負起衝突的責任，他以爲禍首是自己。他們甚至可能以爲自己有解決衝突的力量，而維繫家庭是他們的職責。

因此，家長應該記住避免孩子過份介入父母之間的衝突。（參閱第五章）另外，當你的孩子目睹你和你的伴侶吵架，你們解決衝突時也要讓他們看到，以便對他們有所助益。心理學家E. 馬克・顧明斯的研究顯示，小孩子可能不太瞭解解決衝突時的語言，但當看到父母眞誠地彼此寬恕相擁，他們會得到慰藉。

●對死亡的恐懼

這種年紀的小孩知道死亡，而他們會問你有關它的一些很直接的問題。誠實、讓他們知道你瞭解他們的憂慮、而你也不覺得他們是愚蠢或膚淺的，這些都是很重要的。假如你孩子的朋友、親戚、或寵物死了，你可以表示瞭解他們對失去那個人或動物的傷心，擁抱他們並給于安撫。嘗試忽視或淡化孩子憂傷和恐懼的感受是無效的，這只會讓孩子覺得你對談論死亡感到不安，而將來這會阻止孩子向你透露重要的情感。

不論你孩子恐懼的是甚麼，只要記住，恐懼是一種自然的情緒，在年輕人的生活中，有它健康的功能。當孩子探究與學習時，雖然他們不必那麼害怕，但他們必須知道這世界有時候是一個危險的地方。如此，恐懼可以適當地使孩子更謹慎、更有考慮。

當你和孩子談論他們的恐懼，記得使用情緒輔導的基本技巧。即是幫孩子認知和描述浮現的恐懼感、發揮同理心來談論他們的恐懼、並允許他們自由談論對待各種威脅的方法。討論如何應付真實生活裡的危險，如火災、陌生人、或疾病，這同時也是討論預防它們發生的好機會。譬如，你的孩子表達對火的恐懼，你可以回答：「想到家裡發生火災是嚇人的，所以我們總有一個煙霧偵測器告訴我們是否有東西著火了。」

孩子可能以間接的方式談及他們的恐懼。一個男孩問孤兒院是否還存在，大概不是對兒童福利政策的關心；他是想到自己被遺棄的恐懼。因此，當你聽見孩子質問嚇人的話題如遺棄或死亡時，留心傾聽問題後面隱藏的情緒。

童年中期

●八至十二歲

在這個階段，小孩子開始與較大的社交團體有接觸，同時也瞭解社交影響。他們開始發現在同輩中，誰是跟他們一夥，誰又不屬於他們一夥的。同時，孩子發展認知的能力，學習以智力控制情緒的力量。

由於孩子逐漸察覺同輩的影響，你或許慢慢領悟到他生命裡其中一個主要的動力是，不惜代價避免尷尬。這年紀的孩子常常變得很在意他們所穿的衣服款式、所背的背包、所參與的活動。他們會努力避免引起別人的注意，以避免招惹朋友的嘲笑或批評。在這個年齡，因襲的行爲是頗爲健康的，雖然父母由於要孩子成爲領導者而不是跟隨者因此會感到不快。這表示你的孩子對解讀社交暗示愈來愈熟練，而這個技巧一輩子他都受用。在童年中期，這尤其重要，因爲這些孩子的嘲笑和侮辱可以是很殘酷的。事實上，嘲笑是這年紀造成許多行爲標準的發源地。女孩和男孩一樣會嘲笑，不過男孩的嘲笑可能變本加厲成爲身體上的欺負。

由於代價太大，孩子很快就學到最佳的反應是完全不表示情緒的反應。當圈子內的領導者偷你的帽子或呼喊你的名字時，抗議、哭喊、閒談、或發怒只會帶來更多的貶抑及排斥。不加理會可能更有機會維持你的尊嚴。由於這種動力學，孩子採用一種類似「情緒切除法」，將同輩圈中的感情切除。雖然大部份的孩子掌握這種方法，但我們的研究發現掌握最好的是那些透過情緒輔導，在較早的童年期已學習如何調整自己情緒的孩子。

這種對同輩關係一副很「酷」的態度，可能讓那些是孩子的情緒好教練的父母感到很困惑不解。我們發現父母常誤以為這年紀的小孩，當他們與同輩發生衝突時，都必需要與另一個孩子分享他們的感受，並解決問題。雖然這策略在學前期有效，但在童年中期，這可能是一個不幸，因為這時情緒的表達在社交上是不利的。接受過情緒輔導的小孩很可能已具備了社交上的洞察力而瞭解這種狀況，他們能夠解讀同輩的暗示並做出適當的行為。

同時，這年紀的小孩嘗試抑制他們的情緒，變得更察覺智力的力量。約十歲左右，許多小孩邏輯推理的能力會有戲劇性的增加。我喜歡將他們跟星際大戰中的史僕克先生比較，他躲避情感，沉迷在邏輯與理性的世界裡。他們喜愛對外界反應如同電腦一般。譬如，告訴一個九歲的孩子：「撿起你的襪子」，他可能撿起每一隻襪子，然後再放回原處，並解釋說：「你沒有告訴我把它們收起來。」

這種對成人世界無禮的嘲笑，是出自孩子典型地以不是黑就是白，不是對就是錯的態度來看待生命。這個年紀的小孩突然察覺到在這個世界上運作的標準都是獨斷，無邏輯的，他們可能因此將生命視爲一本大的《瘋狂》（*Mad*）雜誌。成年人被看作是僞善者，而對大人嘲笑和輕蔑則成爲孩子最愛的「情緒」。

孩子對自己價值的意識就是從這種判斷及評估得來的。你或許發現這年紀的孩子變得十分關心甚麼是道德和正義。他的腦子裡可能會出現「純潔的世界」，那裡所有人都被公平地對待，納粹主義和戰爭永不可能發生，暴政永不存在。他可能卑視成人的世界，竟然允許像買賣奴隸或宗教裁判所這些殘酷的行爲。他開始懷疑、挑戰、自己有自己的想法。

諷刺的是，她在她自己同輩的團體裡，卻同時受到這些獨斷和霸道的標準的約束。她擁護個人自由表達的權利，但另一方面，她可能限制自己衣櫥裡只有一千零一種設計家款式的長袖T恤。對於化妝品工業對動物做的殘酷實驗她有深切的關注，但同時，她可能參與一個不仁慈的陰謀，打算在休息時排斥某個同學，不准他參加藍球競賽。

作爲一位家長，你對這些不一致的態度該如何反應呢？我的勸言是：認淸這是一個探險的時期，就隨他們去。孩子在同輩的世界中對這些獨斷的規則有完全的依附，是正常健康發展的一部份。它反映出孩子具備了識別同輩世界裡的標準和價值的能力，這些標準和價值關係到的是同輩的接納並且能避免遭到排斥。

如果你發現你的孩子以一種你認爲不公平的方式對待另一個孩子，讓孩子知道你的感受，藉此機會傳達你對仁慈與公平競爭的觀念。不過，除非這件事眞的很卑鄙，我不建議過度嚴厲的反應或處罰。這年紀的孩子，結黨排外及對同輩施加壓力，是正常的行爲模式。

如果你的孩子抱怨被排斥或被同輩不公平地對待，你可以利用情緒輔導的技巧幫助他處理悲傷和忿怒的感覺。然後協助他自己思索解決眼前的問題。譬如，探究如何結交朋友及維繫友情。不要覺得孩子渴望要與別人一致、要與其他同年齡層的小孩穿著舉止一樣的想法是無聊的；反而要肯定他渴望被接受的想法，而在努力的過程中成爲他的盟友。

至於孩子對大人社會的嘲笑，我建議家長不必太在意孩子的批評。對大人價值觀的出言不遜、諷刺、及輕蔑，都是童年中期正常的傾向。無論如何，如果你眞的覺得孩子對你太目無尊長，以特定的措辭告訴他。(「當你取笑我的髮型時，我覺得你不尊重我。」) 再者，這是家庭中灌輸如仁慈和相互尊重的價值觀的一種方法。同樣地，這個年紀的孩子需要感到與父母在情感上有連繫，以及因此伴隨而來的慈愛的指導。

青春期

十幾歲是一個對有關身份的問題很關心的時期：我是誰？我會變成甚麼樣？我應該是甚麼樣的人？因此，不必驚訝青春期的孩子在某個時期似乎變得完全專注於自己的事務。他對家庭事務的關注會隨著他與朋友的關係成為生活的中心而慢慢衰退。畢竟，他從友誼中才會瞭解到家庭範圍以外他是誰的疑問。不過，就算有同輩的關係，孩子的焦點還是以自己為主。

在一項孩子友誼的研究，我們曾經錄下一段兩個十幾歲女生的對話，其中摘要地表現出青春期的孩子對自我的關注。剛剛才認識後，一個女孩說她暑假在一個為情緒不穩的小孩而設的夏令營中作一個輔導員；第二個女孩沒有追問她新交的朋友詳細的情況，反而以此作為對自己的自我探究。「哇，那眞有趣，」第二個女孩說：「但我一定做不到，我沒有耐心。我的姊姊給我抱她剛生的嬰兒，我覺得他蠻可愛的，但當他一哭，我就把他交回去說：『謝啦。』我想自己永遠不可能成為一個媽媽。沒用的，我沒耐性。我眞不明白妳怎麼有耐心給那些小傢伙做輔導員。或許我應該向妳學習，但我不確定是否做得到，妳覺得我可以嗎？」

這個女孩的獨白，就是將自己和她的新朋友比較，納悶自己改變和成長的能力，思索自己的個性那些是她欣賞的，那些是她討厭的。假如她允許轉移談話的焦點，那並不是因爲她想多瞭解她的朋友，而只是因爲她想更進一步地以她的朋友來襯托出自己。正如大多數的少年人，她的友誼只是用來探究自我感的一個工具罷了。

雖然很極端，但這個例子顯示了隱藏在青春期自我專注後面的動機。少年在自我發現的旅途上，不停地掌舵換方向，嘗試尋找正確的路。他們用新的身份、新的現實、新的自我觀念來做實驗。少年的這些探究是健康的。

然而，他們的路並不是常常平坦的。荷爾蒙的改變可能導致無法控制和急速的情緒變換。社交環境中的惡勢力可能利用年輕人脆弱的心靈，使他們陷入毒品、暴力、不安全性行爲的問題裡。可是，這種人生的探險始終是人類發展中一個自然並且無法避免的過程。

少年的這些人生探險，其中要面對的重要任務是理性與感性的整合。假如童年中期可以以星際大戰的高度理性的史僕克先生爲代表的話，那麼青春期的代表人物就是庫克隊長了。作爲掌管星艦號的角色，庫克要面對的決策裡，他高度感性、有人情味的一面，和他傾向邏輯、完全根據理性的一面，始終彼此相抗衡。當然，我們的好隊長常常都找到適中的平衡點，以便無懈可擊地指揮全體飛行員。他做判斷的方式是我們希望孩子在情理糾纏的情況下同樣能夠行使的。

少年似乎在遇到性別和自我接受的問題上，最有可能要做這類的決定。一個女孩發現被一個自己並不眞正欣賞的男孩所吸引。(「他是那麼地可愛，可惜他一張開嘴巴就完了。」)一個男孩發現自己嘴裡冒出一句他曾經反對的父親的意見。(「我眞不敢相信自己說的話跟我老爹一模一樣！」)這時期的少年突然瞭解世界不是只有黑與白，其中還有許多深淺濃淡的灰色，不管喜歡或不喜歡，所有這些色調都可能是少年自己的一部份。

如果在青春期要尋找出一條路是困難的，那麼少年的父母也是很難當的，因爲孩子大部份的探索是自己完成的。作爲輔導員及作家的邁克・李耶拉（Michael Riera）就說：「在這之前，你在孩子的生命裡扮演的是一個「經紀人」的角色：安排旅行及預約醫生、計劃露營或週末的活動、講解及檢查功課。你與學校的生活保持密切連繫，孩子在遇到「大」事情時，你是他最先找的人。突然，這一切都不管用了。在沒有被知會及同意前，你這個經紀人被開除了。如果你希望在孩子的青春期和將來都能發揮有意義的影響，你就必須改頭換面，緊急更換計劃並追上潮流，重新受聘爲顧問。」

當然，這會是一個相當棘手的轉變。一個客戶不會聘用一個讓他感到無能或有接管他生意威脅的顧問。一個客戶希望有一個他可以信賴、瞭解自己的任務、並提供實質建言的顧問，幫助他達成目標。而在生命中的這個階段，少年人主要的目標就是實現自主權。

因此，你該如何履行顧問的角色呢？你又如何擔當一個情緒教練，同時允許孩子在成爲一個羽毛豐滿的成人前，學習所需具備的獨立權呢？以下的一些提示，大部份是根據心理學家兼作家漢・金諾的研究而得出的：

●接受這個事實：青春期是孩子與父母分離的時刻

譬如，家長必須接受少年需要有私生活。偷聽兒子的對話、看他的雜誌、或刺探太多的問題，都讓他感到你不信任他。這樣就築起阻擋交流的一面牆。在遭遇困境時，孩子會覺得你是敵人而不是他的同黨。

除了尊重孩子的隱私，你必須尊重他在這時期不安及不滿的權利。詩人兼攝影家高頓・派克斯（Gordon Parks）曾經如此描述他的少年期：「以孕育痛苦之名，我欣然悲嘆。」允許孩子有體驗這種深層感受的空間，避免一些問題如：「你到底怎麼啦？」孩子可能是難過、忿怒、焦慮、或喪氣的，而這些質問只表示你對這些情緒的不贊同。

另一方面，假如孩子與你坦誠相對，千萬不要裝出你立即就瞭解的態度。由於孩子新嫩的觸覺，他們常常認為自己的感受是獨特唯一的。當大人一眼就看穿他們的行為、他們明顯的動機，孩子會覺得被羞辱。所以，花點時間，以開放的心胸傾聽孩子。不要假設你已經知道而且瞭解他準備要說的話。

少年是一段賦于個性的歲月，所以，孩子可能會選擇一些你不喜歡的打扮、髮型、音樂、藝術、和語言。記住，你不必贊同孩子的選擇，你只需要接受他們的決定。

同樣地，不要嘗試倣效孩子的選擇，讓他的打扮、音樂、舉止、和俚語表達一種聲明：

「我跟父母是不一樣的，而我對此感到很驕傲。」

●尊重你的孩子

想想看，你最要好的朋友，如果他以許多家長對待少年子女的方式來對待你，那會是怎樣的情形。不斷地被糾正、提醒你的缺陷、或取笑一些敏感的話題，感覺會怎樣？假如你的朋友對你長篇大論、以批判的語氣告訴你該如何及怎樣對待自己的生命，你大概覺得這個人對你沒有太多的尊敬，並不關心你的感受。漸漸地，你或許會疏遠，不再與他坦誠相對。

雖然我不認爲家長需要如朋友一樣地對待自己的孩子（親子關係往往更爲複雜），但我肯定少年至少必須得到我們給予朋友同等的尊重。因此，我鼓勵你盡量避免嘲笑、批評、及侮辱。將你的價値觀，以簡潔、非批判的方法傳達給孩子。沒有人喜歡被嘮叨，更何況是少年孩子。

一旦孩子的行爲造成衝突時，不要以品性標記（懶惰的、貪心的、散漫的、自私的等等）來談論這件事。要以特定的舉止來討論，告訴孩子她的行爲是怎樣及如何地影響你。（「當妳沒有洗碗就離開，我覺得還要替妳收拾而感到很憤慨。」）並且，不要嘗試在少年身上使用「反向心理學」，它不但令人迷惑、具操縱性、不誠實、而且很少有效。

●讓孩子有群體的生活

我們常說「養一個孩子需要一村子的人」，沒有比在青春期的孩子更適用這句話。因此我建議你去認識孩子日常生活中有關係的人物，包括她的朋友和朋友的雙親。

我曾經聽過一位婦人在她猶太教會堂，述說關於她唸大學的女兒幫助衣索比亞難民重新安頓的工作。這位母親認可她女兒的工作是一項博愛和慈善的舉動，她也認爲女兒是很優秀的。「我們女兒的所做所爲使我丈夫和我都感到很光榮，但我認爲這個無上的榮譽事實上應該屬於這個團體的。」她繼續解釋女兒在十幾歲時遇到的困境，當時她是如此地煩惱以至不敢向父母傾訴。但在這段不穩定的時期間，母親知道女兒常待在朋友家，並與朋友的父母傾談。由於他們都是屬於相同的團體，她知道對方的家庭也有同樣的價值觀。「我對這個團體有信心，因此，我們的女兒成爲一位讓我們自豪的女性。」母親說：「但養育她的不只是我們，還有這一整個團體。」

由於我們不可能是孩子的一切——尤其是青春期的孩子——因此，我建議父母讓孩子有一個關懷的團體來支持他。它可能是透過猶太教會堂、教堂、學校、或居住社區的一個團體。它可能是你家族內的成員或朋友圈非正式的組織。重點是，確定孩子接觸一些與你有共同倫理和理想的大人。這些是當你孩子無可避免地、自然地與你疏遠但需要指導和支持時，可以作爲依賴的人。

●鼓勵獨立，並同時繼續做孩子的情緒教練

理所當然，在少年的生活中，要找出一個正確參與的程度是作爲家長要面對的最棘手的挑戰之一。鼓勵自立意味著允許孩子做他們打算要做的事，如今是他們對要緊的事做決策的時候。此刻，正是你練習對孩子說這句話：「你自己做選擇。」的好時機。對於孩子的決定，

表達你的信心，並且不要以自己的猜測來警告他可能發生不幸的結果。

鼓勵自主也代表了允許孩子偶爾做不明智的（但不是不安全）決定。記住孩子同樣可以從錯誤以及成功的事件中吸取教訓。如果他們身旁有一位體貼、支持的成人，這尤其正確；孩子在遭遇挫敗時，他可以幫助他們處理負面的情緒，以便將來有更好的應付措施。

我們的研究顯示，那些實施情緒輔導的父母，他們的孩子比較能成功地渡過難關。這些少年人比較有情緒智力、對自己的感受較能理解及接受。他們有更多單獨或與別人一起解決問題的經驗。因此，他們在學業及同輩的關係上，就得到更多的成就。具備了這些保護因素，這些孩子可以減低遭遇到所有父母都害怕孩子在進入青春期時所面對的危險——譬如，毒品、少年犯罪、暴力、及不安全的性關係。

因此，我極力主張你對孩子生活中發生的事情都要曉得。接受及肯定孩子情緒的經驗。當出現問題，發揮同理心仔細傾聽而不去做判斷。當他有困難向你求援時，做他的同黨。雖然這些步驟很簡單，但我們知道它們是恆久支撐父母與孩子之間情感的基礎。

附錄

：教養高EQ小孩親子共讀的好書推薦

EQ

點亮孩子的心靈
——十本令人回味無窮的書

沈惠芳
（政大國語實小教師、兒童文學研究者）

有些書，你只讀了一次，也不一定記住書裡的每一處細節，可是，一輩子，它在腦海裡盤踞，久久不忘。

有些書，看的時候，可能會讓你驚喜不已，嘖嘖稱奇，可是，過了一陣子，有人問起，卻怎麼說也說不明白。

你有過這樣的經驗嗎？

書就像一盞明燈，能點亮孩子的心靈。如果我們試著從心理成長的角度出發，爲七～十二歲的孩子找出十本令人回味無窮的童書，讓孩子從中獲得指引，啓開人生的錦囊，你會做怎樣的選擇？

以下是我問出來的書單，或許你的一雙眼也曾經因爲讀了這幾本書而閃爍生輝哩！

《月下看貓頭鷹》兒童圖畫書，Jahn Schoenheer圖／林良譯，上誼文化公司。

在冷冷雪夜的曠野上，小男孩跟著爸爸一起去看貓頭鷹，「呼，胡胡胡胡，户！」爸爸望向天空，等著大角貓頭鷹的叫聲。貓頭鷹出現了！孩子的震憾無限，歡喜也無限，就這樣，溫馨與悸動瀰漫開來，「愛」在親子間的共鳴中引發了……。

《黑白村莊》兒童圖畫書，劉伯樂文／圖，信誼基金出版社。

白厝村的村民以種樹薯磨白粉爲生，天天全身白蒼蒼，烏塗坑的村民以挖煤爲業，終年一身黑兮兮。由於黑白分明的兩村村民對黑白的堅持不讓，於是發展出一段黑白對抗的故事……作者以樸拙的心，細膩的筆，教導孩子如何走出彼此的歧視，以容忍與溝通來化解衝突。

《狼王的女兒》少年小說，Jean Craighead George著／漢聲雜誌譯，英文漢聲出版公司。

愛斯基摩小女孩米雅絲憑藉著生命中最大的財富——「智慧、勇氣、愛」，在北極凍原中，獲得狼群的接納與信賴，不但和狼建立了深厚的情誼，也學習到「取之於大地，還諸大自然」的法則。透過本書，孩子在學到堅毅不拔的同時，也學到了謙卑。

《一千隻紙鶴》少年小說，艾琳諾．可兒著／管家琪譯，月房子出版公司。

少女禎子是個熱愛生命的女孩，不料卻受到原子彈輻射線無情的遺害。她心中塡滿了父母、親友的愛，勇敢的與血癌對抗，卻仍然僅僅在人間停留十二年。在反戰運動，和平呼聲高漲的今天，這個眞人實事的故事，不但襯托出了戰爭的殘酷，還有助於在孩子心中埋下世界和平的種子。

《記憶受領員》少年小說，露意絲・勞里文／招貝華譯，智茂文化出版社。

在一個安全有秩序，沒有罪惡、沒有戰爭，人人分工合作的烏托邦社會裡，書中男主角在得到「接受記憶」的任務以後，才發現原來世界並不是一向這樣平靜，於是對於生活在沒有「愛」與「歷史」的慶典裡，提出質疑……藉由這個科幻故事流露出來的單調與無情，孩子可以了解眼前環境得來的不易，須多加珍惜。

《矮靈的傳說》少年小說，心岱文／洪義男圖，時報文化出版公司。

作者透過時空的轉移，敍述台灣北部原住民賽夏族和黑矮人之間的恩怨情仇，他們的往來與決裂經過，十足的彰顯了人性。可以引導孩子認識暴力的殘忍、偏見、貪婪的可怖，以及忍讓、寬恕的可貴，書中占了不少篇幅的「歌」，表達了賽夏人對大自然抱持著敬畏與感恩的心情，不願隨意破壞美好的生存環境，這一點頗能給現代的孩子一些啓示。

《少年小樹之歌》少年小說，佛瑞斯特·卡特著／姚宏昌譯，小知堂出版社。

以散文的敘事風格，描寫一位擁有純眞心靈的印地安男孩，和爺爺、奶奶在美國東部查拉幾山區生活的故事。這本自傳體的小說傳神的提供了人與人之間平等、尊重、與珍貴情懷的表達，孩子可從書中得知三〇年代經濟大蕭條時人們的生活狀況，並且一窺印地安習俗的奧妙。

《少年噶瑪蘭》少年小說，李潼著，天衛文化出版社。

藉著現代噶瑪蘭人潘新格回到從前，與祖先生活在一起的冒險經過，把台灣原住民噶瑪蘭人在加禮遠社的生活情形做了十分靈活的敘述。本書帶給孩子的，除了對噶瑪蘭的過去歷史有了深刻的認識以外，多少能啓示孩子文化尋根的使命感，同時也引導孩子以開闊的心胸，尊重並接納不同族群的文化、思想及風俗習慣。

《山羊不吃天堂草》(上、下)少年小說，曹文軒文／陳璐茜圖，民生報社出版。

少年明子爲生活所迫，在大都市掙扎求零活來討溫飽，金錢的誘惑、善惡的抉擇，等工作的煎熬……曾經使他一時迷失，接二連三的打擊，也使他退縮不前。幸好憑藉毅力，在掙扎與奮鬥中，逐漸領會爲人處世之道，終能掙脫枷鎖，自食其力，孩子可在書中提早領略成人世界的善良與邪惡，了解「認清自己的角色」，有助於成長。

《野地獵歌》少年小説，威爾森·羅爾斯著／朱華鈞等譯，中唐志業出版社。

十四歲的男孩傑伊，對一群從馬戲團中迷脱的猴子，展開逮捕行動。歷盡艱辛曲折，終於實現了夢寐以求的心願。全書洋溢著對事物豁達的氣度，感人肺腑的兄妹之情，在幽默與溫馨之中，頗能拓展孩子的想像力，並激發孩子的好奇心，主動探索相關知識。

令人好奇的是，你的書單上有哪些書?或許這其間會有些不同，但是，我以爲所有的書籍，都只不過是譬喻，用來幫助孩子從自己的心靈看到眞理，你以爲呢?

給父母的一份書單

胡芳芳
（出版人）

《EQ》大衆心理，丹尼爾．高曼著／張美惠譯，時報文化出版公司。

家庭是學習EQ的第一所學校，在這個親密的熔爐中，可以學習到許多基本訊息：自我的觀感、別人對自己的反應、如何看待自己的感覺、如何判讀別人的情緒與表達自己的喜怒哀樂。這個學習的過程不僅是透過父母對子女的管教，還包括間接觀察父母的行爲及彼此相處之道。因此，高EQ的孩子，來自於高EQ的父母。本書是第一本完整破解IQ神話，提供全方位EQ情感學習的重要入門書。

《EQ有聲書——新世代EQ（親子互動篇）》大衆心理，陳美儒主講，時報週刊製作。

本書擷取英文版EQ的精華，從主講者資深建中導師的專業背景切入本土化題材，以輕鬆的方式，邀你一起學習EQ，進入孩子的情緒世界，共同來關心他們的感受和面臨的問題。

幼年與青春期正是奠定情緒根基的關鍵期，培養均衡的EQ智慧，正是孩子面臨希望、挫折、沮喪等不同情境時，最佳的情緒出口。

《蘇菲的世界》西洋哲學史小說，喬斯坦·賈德著／蕭寶森譯，智庫出版公司。

一本非常好看的小說體哲學書。透過一個十四歲的少女蘇菲發現了一封神秘信箋問她：「妳是誰？世界從哪裡來？」就這樣，在風格弔詭的懸疑小說氣氛中，喚醒了每個人內心深處對生命的讚歎以及對人生意義的追尋。展讀之餘，好像進入現代版《愛麗絲夢遊仙境》之中，面對浩瀚的世界，胸中自有丘壑，而且眼界開闊，不精神處也精神。

《與成功有約》大衆心理，柯維著／顧淑馨譯，天下文化出版公司。

作者係當代最具代表性的心靈潛能大師，曾被時代雜誌選爲二十五位影響美國未來的重要人士之一。由於工作的機緣，他接觸到許多事業有成的人，同時也深刻感受到他們內心的惶惑：追求事業的成就，卻往往犧牲了家庭與健康；不管是職業婦女或專職家庭主婦，有的是一根蠟燭兩頭燒，工作與家庭難以兩全，有的是一心相夫教子，卻輕忽了自己個人的成長，與時代脱節。本書提供了一個劃時代的解答之鑰：「唯有全面的成功，才是眞正的成功。」他歸納了七大準則：操之在我、確立目標、掌握重點、利人利己、設身處地、集思廣益、均衡發展，供我們在生活中，追求事業、家庭、個人成長各方面的圓融和諧。

《長大的感覺，眞好》青少年心理漫畫，帕翠生著／桂特兒圖／尹萍譯，天下文化出版公司。

本書值得所有臉紅的父母視爲武林秘笈。青春期是孩子們從兒童長成青年的尷尬期，許多心理學家更視爲是父母與孩子最容易產生風暴的時期。來自紐西蘭的作者與漫畫家，爲所有傷透腦筋的父母及青少年，精心寫了這本關於情緒、談感覺的漫畫書。藉著書中的主角，以溫暖、睿智又生動的口吻，談論成長的故事。尤其對情緒波動、生理變化以及國人難以啓齒的性意識萌芽等方面，充滿了同情、了解又務實的語調，既不說教，也不斷是非。與其說它適合青少年看，倒不如說更適合所有的父母學習這種極佳的溝通方式，與同理心式的遣詞用字。

《城南舊事》繪本，林海音著／關維興圖，格林文化出版公司。

可不要以爲繪本是專門給孩子看的，其實很多繪本，也非常合適大人欣賞。本書的出現，足可以讓人驚呼：原來繪本也可以是老少咸宜的。林海音獨步文壇的名作再加上大陸著名水彩畫家關維興，成果自是相得益彰。五篇故事：惠安館的小桂子、我們看海去、蘭姨娘、驢打滾兒、爸爸的花兒落了，透過小女孩英子的眼光，彷彿經歷了難以承受的人世變遷，如夢似幻的童年，卻面臨父親的病故，看著父親心愛的夾竹桃，默念著：我也不再是小孩了。童年是再也回不來了，但是這本交織著美感、童趣、分離、死亡、父愛的名著，仍會驅使著每一個長大的人，再度回到那個愚騃而神聖的童年。

《**愛的教育**》少年小說，亞米契斯著，希代出版社。

已經出版一百年的書，爲什麼仍然引起世人的興趣？閱讀《愛的教育》就可以找到答案。本書既是以「愛」爲軸心，當然會提到朋友、師生、父母、親子，甚至國家的愛。但作者透過一個意大利四年級小學生安利柯的生活日記，卻很巧妙的將這個雋永的主題融入其中。安利柯並不太符合一般父母望子成龍的形象，既不聰明也不太用功，卻因爲他平凡、正直而寬容的心，使他很能夠從不同的人身上，學習到許多人生的功課，所以他的感情教育不是來自課堂上的塡鴨方式，而是生活的實際體會，所以這個男孩雖然不斷犯錯，卻因爲父母、師長的愛，而懂得學習溫柔待人。書中媽媽寫給他的信，以及每月故事更是經典作品。

《**林家次女**》小說，林太乙著，九歌出版社。

幽默大師林語堂是國人最欣賞的作家之一，他在教育子女方面更有其幽默之處：竟要女兒不要上大學，要她踏入社會做事，唸「文學所取材的人生」。而林家的次女林太乙在十八歲時，竟然去耶魯大學教中文，後來還擔任了《讀者文摘》中文版長達二十三年的總編輯，寫英文小說、編詞典。本書描述的正是充滿快樂，又好玩又好笑的童年和成長的過程，以及父親給予孩子的不平凡教育。林語堂倜儻不群，凡事均有創見，他認爲世界就是大學堂，在學校裡能學到的東西不如從校外所見所聞能得到的知識。只要養成愛讀書的習慣，一部字典在手，憑自修，什麼學問都能學到。他什麼地方都帶女兒去，探火山口、看脱衣舞、去滑雪。讀者不妨親身一讀，看看個中玄妙。

《安徒生獎大師傑作選》少年小說，時報文化出版公司。

第一輯：①強盜的女兒②畫家阿米哥③大象鼻子長④小黃瓜國王⑤我一個人去布拉格。

第二輯：①偉大的小不點②我的熊弟弟③耶穌，你餓了嗎？④山中小路⑤河豚活在大海裏。

「安徒生獎」，是國際公認兒童文學界的最高榮譽，係爲紀念丹麥童話大師安徒生而設。本套書的十位作者就是因爲他們的終身成就而獲得殊榮，包含北歐、東歐、甚至巴西、日本等遍及全球的作家，能讓讀者超越文化藩籬，不再以閱讀歐美作品爲主流。其中包括以《強盜的女兒》名聞全球的瑞典女作家林格倫，以及台灣每個小朋友都會唱「大象鼻子長」的日本作者窓・道雄。這十本書分別提及愛情、仇恨、寬恕、威權、成長、懸疑、友情、死亡、人與動物的友誼、叛逆、流浪等主題，透過文學性濃厚的筆調，娓娓道出每一個動人的故事。

《家栽之人》 青少年心理漫畫，毛利甚八編劇／魚户修漫畫／陳育君譯，時報文化出版公司。

本書是日本近年來最暢銷的漫畫經典之一。男主角桑田是個愛花成痴的少年法官，難纏的官司或家庭問題到他手中往往都能迎刃而解，解決的方法常跌破衆人眼鏡。例如有位少年犯曾因恐嚇罪被判在家接受管束，卻毫無悔意，檢察官認爲孩子變壞的主因，是因爲青春期的叛逆與觀念的偏差，但是這個案子到了桑田手裡，他卻在審判時，責備孩子的父親。因爲在桑田的想法中，父母不是裁判，而是「家栽之人」——任何問題的根源，都應該用「心」了解眞正的動機，卸下教育孩子是重責大任的包袱，不妨用輕鬆的心情，以園丁灌溉花兒的角度來看待。這是專爲父母而寫的一套漫畫書。

書本的魔力

傅學海
（師範大學地球科學系副教授）

書籍具有神奇的力量，可以激勵人心，撫慰心靈，除了閱讀時的心靈享受外，也能從中獲取知識與力量。想想目前全球五十億的人口中，正有數以千萬計的兒童處於挨餓的環境中，活在沒有書的世界中，無法享受到閱讀的樂趣，也體會不到書本的魔力。因此，當我們能夠的時候，實在應該讓我們的孩子享受看書的權利與樂趣。更重要的是，如果能在孩童時期養成閱讀的習慣，則這個習慣可能伴隨一生。由於看書屬於靜態的活動，因此能沉浸於閱讀樂趣中的兒童及青少年，表示他們能靜得下心來看書，也比較能掌握自己的情緒。但是如何在浩瀚的書海中，選取充份而適當的書，提供給零到十二歲的孩子閱讀，可不是一件容易的事。

兒童對這個世界充滿了好奇，在探索中成長，如果能提供適當的讀物作爲橋樑，認識自然與人生的種種面貌，以及體會人類心靈的複雜與感受，應該是可行的想法，雖然每人的成長經驗與生活歷練不同，會有不同的書單；我也相信，沒有能一體適用、符合各種需求的書單。

下面這一份書單，反映了我個人的經驗與體會，所依據的是這些書提供了閱讀的樂趣，以及至少含有下述條件中的兩項。

(一)不論是年代久遠，或是近期出版的書，都經歷過時間與市場的考驗。

(二)具有某種「獲得」的樂趣，不論是知識性或思想性方面的獲得。

(三)反映了人際關係的複雜，但仍感受到人性的尊嚴，仍能對人性仍保有信心。

一、安徒生童話

兒童的心靈，不像成年人受過世俗規範的洗禮，仍然保有直覺的情緒、反應與單純。安徒生童話中的篇篇故事，敘述單純而有變化，描寫心靈的期盼與轉折，具有感人的力量，像「醜小鴨」、「美人魚」，讓讀的人感受到人生的挫折與哀傷，但又感受到一種希望與甜美。

二、十萬個爲什麼?

相信做父母的大都有被孩子纏著問「爲什麼」的經驗。好奇是人的本性之一，也是創造的來源。要滿足好奇常是一件浩大甚至不可能的事。有關這方面的書與類別，眞是不勝枚舉，而且年年都有新書出版。選擇「十萬個爲什麼？」主要有兩個原因，一是涵蓋面廣，基本上可以滿足各科領域的需求；二是本套書爲長銷書，許多成人都知道這套書。

三、唐詩三百首

容易琅琅上口，使兒童容易朗誦，每首詩都反映了具體的意像，却又能引伸出各種意境。並不需要每首都讀，即使祇念其中幾首，也能領略文字精簡、韻律揚抑之美。透過短短文字感受意境的深遠與遼闊，情緒的哀傷與喜悅，非詩莫屬。我國古典的文化便藉著詩句的朗誦、說明或插圖，植在孩子的心田中。

四、西遊記

有趣、歡樂，好玩常是小孩子的最愛。無疑的，西遊記能滿足這方面的需求。人物個性鮮明、情節生動，充滿動態印象的西遊記，是十分令人喜愛的書。人人都想有孫悟空的能力，也都有吃力不討好的經驗；人人大都不願當豬八戒，但也都有遇事無能爲力、能躲則躲的時候。豐富的情節，有趣的內容，尤其膾炙人口的角色，西遊記是非常適合全家享受的書，尤其是驕縱的小孩可以從孫悟空的遭遇作爲借鑑。

五、聖經的故事

聖經在西方文明中占了重要的地位，即使在今天，仍然影響許多人的一生；在基督教徒（含天主教徒）爲主的國家中，甚至影響到政策的走向。對這樣一本號稱全球出版量最大的書，實在很難忽略它。你可以不信，但不能不知道，有許多人從聖經中獲得控制情緒的力量。

六、莎士比亞戲劇

莎士比亞所寫的故事，主要在闡釋人性。在描述人心與人際關係的複雜與多變方面，莎士比亞確是能手。每個故事都具有豐富而曲折情節，兒童可以藉此窺視成人世界的種種。一般說來，應屬於閱讀層次較高的青少年。

七、三國志

由於電動玩具、漫畫與動畫的推波助瀾，台灣這一代的兒童與青少年，大都知道三國志，而且藉著電玩的角色扮演，可以體會及滿足角色的情境。但是電玩與漫畫仍然不能取代書本所傳達的意境、氣勢與人性的描述。《三國志》一書可使人脫離個人情境，而以領導者的角度來看這個世界，同時領略草莽英豪與朝廷精英的不同。

八、傳記

傳記有如一面鏡子，可以透過它看到一個人的成長過程，知道別人是怎樣經歷人生的種種，常會興起「有爲者亦若是」的意識。閱讀傳記能豐富人生，吸取別人的經驗與教訓，但在如此多的傳記中，實在無法說那一本最適合推薦。如果硬要挑選，我會選擇新力公司的「盛田昭夫自傳」。理由是：他是日本人，具有與我們類似的東方思想背景，但他具有世界觀，同時具有遠見與夢想，將「新力」由名不見傳的小公司，成爲品質保證與創新的代名詞。這正是當前台灣所需的。

我心目中的好童書

劉克襄
（自然文學作家）

優良童書年年有，這數十年來累積的國內外經典童書也不少。如果要羅列個上百本應該也不難。但我的選擇標準，以最近六七年來出版爲主。除了自己甚爲喜愛；同時，在考慮閱讀年齡層，以及本土創作的必要性下，挑出了十本較具代表的作品，其中有七本還是畫本。這些童書，有的內容適合高年級，但更多適合低年級的小朋友。我心目中的好書，由深而淺大致依序如下列：

《昆蟲記》自然科學，法布爾著／黃盛璘等譯，東方出版社。

是法國昆蟲學家法布爾一生最重要的自然觀察創作。由日本自然作家奧本大三郎改寫成淺顯、易懂的作品，適合一般孩童閱讀。國內小朋友最喜歡的自然觀察，往往是昆蟲，卻苦於無深入淺出的書本參考。本書相當適合高年級小朋友閱讀。

《烏龜的婚禮》自然生態故事，杜瑞爾著，東方出版社。

英國著名作家杜瑞爾以一貫的幽默文筆抒寫的自然故事，主要以各種小動物習性做爲素材，不落俗也不具教條，流暢而可讀的內容，足以啓發孩童的心靈。

《風鳥皮諾查》，小說，劉克襄著，遠流出版社。

勵志類的自然生態動物小說，在國內應爲開風氣之先。本書以一隻水鳥的冒險，敍述台灣的種種生態景觀，以及生活的意義。

《流浪狗之歌》繪本，嘉貝麗·文生繪，大樹文化出版。

內容描述一隻被主人丟棄的小狗，在野外孤獨流浪，最後遇見一位小朋友收容牠的故事。全書無一文字敍述，但卻感人肺腑。

《失落的一角》繪本，謝爾·席佛斯坦著，自立出版社。

美國繪本作家謝爾的代表作，以一個三角形的簡單圖案，展現人生生活的道理，簡潔而生動的寓意，人人易讀。

《誰要一隻便宜的犀牛》繪本，謝爾·席佛斯坦著，玉山社。

以一隻犀牛的種種滑稽形象，透過孩童的眼光，幻想著各種有趣的生活事例。

《老鼠娶新娘》繪本，張玲玲著／劉宗慧繪，遠流出版社。

內容取材自中國民間故事。繪本的插圖充滿瑰麗而豐富的生命色彩，又蘊含飽滿的想像力。

《媽媽買綠豆》繪本，曾陽晴文／萬華國圖，信誼出版社。

平實而溫馨，取材自現實生活的故事，文字流暢而親切。在近年來的本土繪本裡，算是難得一見的代表作。

《黑兎與白兎》繪本，歌斯威廉士著／林眞美譯，遠流出版社。

敍述兩隻小兎子之間溫馨感人的情誼，簡單的對白，潔淨而明亮的插圖，在在隱涵著豐富而純眞的友情。非常適合小朋友。

《和我玩好嗎》繪本，瑪麗·荷·艾斯著／林眞美譯，遠流出版社。

講述一位小妹妹到池塘旁，試著和自然界的小動物做朋友。最後，她靜靜地坐在原地，小動物也接納了她。適合低年級小朋友閱讀。

人生顧問㊱

怎樣教養高EQ小孩

作　者——約翰・高特曼博士、瓊安・德克特兒
董事長
發行人——孫思照
社　長——莊展信
出版者——時報文化出版企業股份有限公司
台北市108和平西路三段二四〇號四F
發行專線—(〇二)三〇六六八四二
讀者免費服務專線—(〇八〇)二三一七〇五
(如果您對本書品質與服務有任何不滿意的地方，請打這支電話。)
郵撥——〇一〇三八五四～〇時報出版公司
信箱——台北郵政七九～九九信箱
電子郵件信箱—ctpc @msl.hinet.net
網址—http://www.chinatimes.com.tw/ctpub/main.htm
主編——心岱
編輯——郁冰
美術編輯—楊啓巽
校對——彭珍
排版——普辰電腦排版印刷股份有限公司
製版——高銘照相製版有限公司
印刷——科樂印刷有限公司
初版一刷—一九九六年十二月二十三日
初版八刷—一九九七年六月三十日
定價——新台幣二五〇元
◎行政院新聞局局版北市台業字第八〇號

ISBN 957-13-2214-8
Printed in Taiwan

國家圖書館出版品預行編目資料

怎樣教養高EQ小孩 / 約翰・高特曼(John
Gottman),瓊安・德克特兒(Joan DeClaire)合
著 ; 劉壽懷譯. -- 初版. -- 臺北市 : 時報
文化, 1996[民85]
面 ; 公分. -- (人生顧問 ; 36)
譯自 : The heart of parenting
ISBN 957-13-2214-8(平裝)

1. 親職教育 2. 情緒 - 管理

528.21 85013301

請沿虛線摺下裝訂，謝謝！

人生顧問

是您的智囊團，它陪伴您一起向前走。

寄回本卡，
掌握人生顧問的
最新出版訊息

(下列資料請以數字塡在每題前之空格處)

____ **您從哪裏得知本書／**

1書店 2報紙廣告 3報紙專欄 4雜誌廣告
5親友介紹 6DM廣告傳單 7其它／____

____ **您希望我們爲您出版哪一類的作品／**

1心理 2勵志 3成長 4潛能 5知識
6其它／____

您對本書的意見／

____ **內容**／1滿意 2尚可 3應改進
____ **編輯**／1滿意 2尚可 3應改進
____ **封面設計**／1滿意 2尚可 3應改進
____ **校對**／1滿意 2尚可 3應改進
____ **定價**／1偏低 2適中 3偏高

您希望我們爲您出版哪一位作者的作品／

1____ 2____ 3____

您的建議／

編號：CF36	書名：怎樣教養高EQ小孩
姓名：	性別：________ ①男 ②女
出生日期：　　年　　月　　日	身分證字號：

________學歷：①小學 ②國中 ③高中 ④大專 ⑤研究所(含以上)

________職業：①學生 ②公務(含軍警) ③家管 ④服務
⑤金融 ⑥製造 ⑦資訊 ⑧大眾傳播 ⑨自由業
⑩農漁牧 ⑪退休

地址：________縣市________鄉鎮區________村________里
______鄰______路(街)______段______巷______弄______號______樓
郵遞區號：________

請寄回這張服務卡(免貼郵票)，您可以——
●隨時收到最新的出版訊息。
●參加專為您設計的各項回饋優惠活動。

地址：台北市108和平西路三段240號 4 F
電話：(080)231705(讀者免費服務專線)
(02)3066842・(02)3024075(讀者服務中心)
郵撥：0103854-0時報出版公司

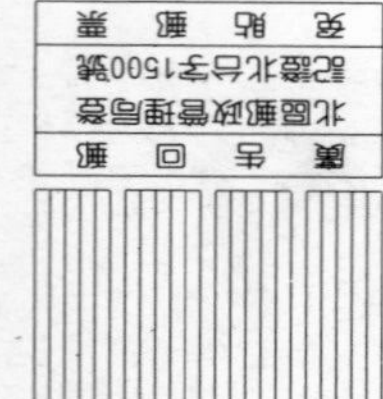